Татьяна Соломатина

ОТОЙТИ В СТОРОНУ И ПОСМОТРЕТЬ

Редакционно-издательская группа
«Жанровая литература»

представляет книги
ТАТЬЯНЫ СОЛОМАТИНОЙ

Татьяна Соломатина

ОТОЙТИ В СТОРОНУ И ПОСМОТРЕТЬ

Издательство АСT

Москва

УДК 821.161.1-31
ББК 84(2Рос=Рус)6-44
С60

Оформление обложки — *Василий Половцев*

Иллюстрация — *Наталья Якунина*

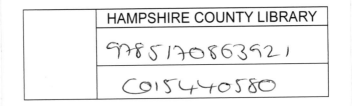
Соломатина, Татьяна Юрьевна.

С60   Отойти в сторону и посмотреть : [роман] / Татьяна Соломатина. — Москва : Издательство АСТ, 2016. — 256 с. — (Проза Татьяны Соломатиной).

ISBN 978-5-17-086392-1

Лика — обыкновенный московский подросток середины восьмидесятых двадцатого века. Однажды летом, во время безмятежного отдыха в Крыму, она узнаёт, что лучший друг её отца через два дня погибнет. Это предрешено. Что может сделать пятнадцатилетняя девочка? Взрослые не верят ей. А время утекает капля за каплей. И она отправляется в Путешествие...

УДК 821.161.1-31
ББК 84(2Рос=Рус)6-44

ISBN 978-5-17-086392-1

от Автора

Когда-то мы все бываем маленькими. Но это проходит. Хотя что-то остаётся в нас.

Мы наводняемся жаждой познания и становимся философами. И это проходит. Но что-то остаётся.

Борясь с сомнениями, мы становимся естествоиспытателями, бросая вызов механике науки и стали собственных нервов. Но проходит и это. И что-то остаётся.

Мы ищем, ищем, ищем... И находим. Но сомневаемся и не верим. А если верим — не решаемся...

Грош цена такой вере.

Сидя в кресле у приоткрытого окна, я вдыхаю аромат своих любимых цветов с длинными фиолетовыми лепестками, очень похожих на ирисы, и чувствую, что так много всего остаётся во мне, что я не выдерживаю — собираю всё это, как пыльцу, толку́ в тяжёлой бронзовой ступке, что оказывается как раз под рукой, высыпаю на ладонь и бросаю в пылающий зеленоватым пламенем огонь камина...

Я не вижу, как странное дымное облако вырывается из трубы и, скользнув перекати-полем по перламутровой крыше, просочившись сквозь заросшую виноградом каменную террасу, медленно подплывает к окну, за которым я сижу в кресле и, глядя на жаркий огонь, беспричинно печалюсь.

Доносятся глухие раскаты разыгравшейся далеко в море грозы. Такие вечера не перисто-голубые, а скорее пронзительно-бирюзовые.

«Зачем я растопила камин так рано? Нужно было дождаться дождя... Наверное, не хватает воздуха», — думаю я.

Не оборачиваясь, я протягиваю руку, открываю окно пошире и глубоко вдыхаю...

Отойти в сторону и посмотреть

(Книга первая)

— Ты что-то хотел предложить?
— Прогуляться.
— Мне собираться?
— Не стоит.
— Позволь...
      Разве прогулка не требует сборов?
— А разве хоть что-то у нас не с собой...

Так себе идея

Всё просто случается однажды. Или не случается никогда.

Сидишь за столом, покусывая карандаш, ненавидишь все иксы и игреки на свете и вдруг подумаешь: «А что, если ты не ты, а, скажем, кошка...» Или... почему кошка? Пусть любой зверь. Ловкий, сильный, умный. И зверю не сидится на месте. Зверь сидит на месте только когда спит. А так он всё время идёт или бежит. И не потому, что его где-то ждут, а как раз потому, что он не знает этого. И не может не идти.

7

Перелистнув тетрадь на чистую страницу, ты рисуешь дом или то, что могло бы им быть. Дорогу. Не от дома, а просто — дорогу, приходящую оттуда — возможно даже с предыдущей страницы, где только уравнения и решения, — и уходящую туда. К горизонту. Горизонт рисовать просто — это линия от края до края чистого листа.

По дороге в сторону горизонта идёт зверь. С рюкзаком и в кедах.

Не какой-то там недотёпа: пугливый, через шаг оглядывающийся — далеко ли он отошёл от норы. Нет. Этот зверь уже повидал кое-что. Не то чтобы... Но путешествие ему не в новинку. Он со всем возможным здравомыслием собрался в дорогу: что понадобится раньше — поближе — в кармашках рюкзака, хрупкое — в мягком, мягкое — к спине... Только то, что *действительно нужно*. Чтобы добыть пищу, утолить жажду, согреться. Никаких цепочек с плюшевыми зайчиками и розовых блокнотиков в сердечках! Только простые и выносливые вещи. Они должны вынести от начала и до конца одно путешествие.

Но путешествие не может быть предпринято *просто так*. Только потому, что ты этого желаешь и готов. Этого мало. Должна быть *идея*. Та, что позовёт. Или подтолкнёт. Или настроит... И идея совсем не похожа на то, что принято называть *вдохновением*.

«Вдохновение» — непутёвое слово. Вдохнул — выдохнул. По дороге, может, ещё успеешь сломать «как обычно, последнюю» мамину иглу для чего-то там, прошивая капроновой ниткой подызносившиеся башмаки.

С идеей не так. Если она настоящая, то подчинит себе всё. Заполучив тебя, она превратит вечно скулящего щенка в пехотинца-легионера. В альпийского стрелка. В просоленного всеми морями на свете моряка... Она — как знамя. Гимн. Её нельзя потерять, не заметить или просто не воспользоваться, как вдохновением. Даже заставляя терпеть поражение, идея не оставит тебя. Она выше поражений и больше побед. Она оттуда, где ты, возможно, никогда не будешь. Но... в этом и смысл! Что это за путешествие, которое — бац! — и закончилось. Оно должно длиться и длиться, длиться и длиться...

Путешествие — это как писать письма. Рассказывать вроде бы и не о чем — всё «как обычно». Но только начни писать, и сразу столько всего! И тут — то бумаги не хватает, то чернила в ручке пересохли. Пока бегаешь, ищешь, отвлекаясь по дороге... Сел — опять сказать нечего... Поэтому надо быть всегда готовым!

Кстати, о письмах... Вот если описывать всё и складывать в какую-нибудь коробочку... как в почтовый ящик?.. Тогда потом... совсем-совсем потом, открыть и достать! Та непонятная, далёкая, наверное, очень умная и всё ещё красивая пожилая женщина... Ей должно понравиться! Ведь целую жизнь она ждала эти записки. Чтобы узнать, как же оно всё было в этом далёком-далёком давно!

Странная идея... Честное слово, странная! А забавно могло бы выйти...

Глава первая:
Путешествие

*Символизм слов не обязывает наш
разум облачаться в одежды метафор.*

«Ну, здравствуй...

Что за глупость, честное слово! Пишу и думаю: «А вдруг не получится?» Или хуже того — всё получится, а я ошиблась. И завертится карусель — не остановить!

Что может выйти, если прожившая уже целую вечность вдруг знакомится с той, что только собирается эту вечность прожить?.. Что почувствует та, у которой всё ещё впереди?.. Будет смеяться? Расстроится? Засомневается или предвосхитит? Каково это — узнать, что оттуда, из вечности длиной в семьдесят семь лет, кто-то говорит с тобой. Как будто смотрит...

Я задумала это путешествие для тебя... Или для себя?.. Не знаю, как и сказать... Мы вряд ли уже найдём друг друга. После того как я сброшу с себя мантию времени, всё изменится... Так и хочется сказать: «навсегда». Но ведь ты — это я. И в то же время... Опять эти обороты! И *в то же время* это не так. Сложно объяснять. Я постараюсь, конечно, но немного позже. Сначала я хотела бы кое-что рассказать... С чего же начать?.. У всякого путешествия ведь должно быть название, правда? Красивое, простое, как *ветер*, *вода*, *время* или просто...

птицы

Помнишь, в том году съехалось много народа? Как-то они там все сговорились. Родители, их друзья. Только свои. Сняли домики, комнаты, сараи — кому что досталось. Здорово получилось. Как-то помолодели, что ли, сразу. Шашлык, вино в белых пластиковых канистрах, салат из свежих обжаренных мидий с розовыми помидорами и ялтинским луком, дальние походы в Лисью бухту, рыбалка — одна камбала была такой огромной, что даже не верилось, — охота на куропаток с «уазика» кого-то из местных знакомцев, Чейз вслух на английском под вечерний портвейн, преферанс по копеечке за вист под коньячок...

Благодатное лето. Впрочем, там был один мальчик... Вроде ничего. Но младше... Года на два, что ли?.. Ну да. Кажется, ему было одиннадцать.

Ты каждый год бываешь здесь. Но не каждый год *так*.

Может, поэтому *не так* хочется на море сегодня?..

Не так — это не значит *меньше*. Не так — это значит, появляется *ещё что-то*. Внутри Настоящего Путешествия ничто не хуже и не лучше другого. К примеру, идёшь за черникой в лес — ты так любишь подавить её с молоком и сахаром... А находишь стайку уютных белых. И бабушка варит на обед вкуснейший суп с молодой картошкой, зелёным лучком и сметаной. Или ныряешь в утреннюю прозрачную воду с отцовским подводным ружьём, чтобы гордо принести на завтрак небольшую кефальку или камбалу, а сталкиваешься с огромным чёрным морским котом и следуешь за ним далеко-далеко в море, любуясь парением...

Просто море — *одно*. Мутное после шторма или глянцево-неподвижное в послеполуденном мареве. Опасное отнимающими силы волнами и надёжное тёплыми заводями мелководий. Пугающее уходящими в бездну подводными обрывами Кара-Дага и уютное заводоросленными островками, выступающими на поверхность скал и огромных камней. И такое, и сякое. Влекущее, ожидаемое. Но *одно*. Заморские страны и глубоководные чудовища — это совсем для малышей. Но для тебя, уже познавшей гибкую радость тела, парение над бездной и пульсирующие взрывы плоти от касания с ледяными придонными течениями в тенистых подводных гротах — это уже вызов. Шалый, дерзкий вызов. Полный радости. Как воздушный шар. Или даже как мячик.

Упругий мячик приключения. Шар приключения. Плоскости, ломаные линии, штрихи и закорючки целой Планеты Приключения...

Бывают дни, когда вдруг начинают резать глаз и даже раздражать бетонные сваи заброшенного старого причала. Ржавые остовы эллингов. Даже такие привычные урны по дороге вдоль пляжа... Раздражает не облезлая ветхость. Раздражает *неестественность*. Куда лучше смотрелись бы деревянные «палубы» настилов. Гравийные дорожки вместо асфальтовых. И паруса вместо копоти катеров и радужных разводов на воде у действующего причала морских трамвайчиков...

Ах, паруса! Мечта, вибрирующая между гротмачтой и гиком. Мечта, наполненная ветром бесконечного путешествия! Когда-нибудь ты сможешь управляться со всем этим одна. А пока, под слегка насмешливыми и немного высокомерными — свойственными всем мужчинам — взглядами отца и его друзей, ты пытаешься намотать упрямый, как сто чертей, шкот на утку, больно стирая пальцы...

Море не виновато.

Море всегда с тобой. Не вокруг и не около. Именно *с тобой*. И не надоедает. Но когда что-то *всегда*, правда ведь, хочется, чтобы иногда становилось *не так*?..

Для *не такого* Бог сотворил горы.

Можно, раздувая щёки, кричать, что бутафорию Южного берега Крыма и горами-то назвать язык не повернётся. Но это кому как. Если тебе тринадцать, и заряда внутреннего «аккумулятора», кажется, хватит ещё лет на тысячу, и ты не просто хочешь попасть на вершину, а залезть туда самым трудным, практически невозможным маршрутом, — то это горы. А горы — в отличие от моря — это то, что *никогда не с тобой*. Готов ты к этому или нет, но, соприкоснувшись, ты сразу знаешь — по тебе это или нет. Это тот редкий случай, когда люди безо всяких приближений и притянутых статистикой факторов делятся на две половины. Тех — кто «больше никогда», и тех — кто даже если больше никогда, то: «лучше гор могут быть только горы». Чтобы узнать это, не обязательно оказаться на пике крымской горы, похожей на огромную сопку с торчащим где-то у вершины, как высунутый язык, утёсом. Достаточно, набравшись терпения, полдня тащиться по пыльным холмистым склонам, обдирая ноги о верблюжьи колючки и проклиная свою бредовую самонадеянность. Добравшись, понять, что, обогнув «язык» с другой стороны, ты без труда по натоптанной тропе поднимешься к самой вершине. *Как все*. Поняв это, оценить пятнадцати-двадцатиметровый подъём по почти отвесной скале и, найдя единственную возможность, подтянуться до первого уступа, прильнуть к равнодушному камню и оторваться от земли. Но это ещё не всё. До момента истины три-четыре метра подъёма. Они проходят на азарте и на особенностях подножья. Но вот где-то там, когда понимаешь, что ноги — это уже не просто условие твоего равновесия, а странный инструмент выживания... Что угол наклона скалы иногда становится отрицательным, а продолжение пути невозможно, потому что ты просто *не видишь* следующей надёжной опоры... Вот теперь! Теперь пришла пора ощутить всю полноту, с которой скале на тебя наплевать. Ей всё равно — «оседлаешь» ты её пик или будешь валяться там, внизу, на осыпи осколков древнего, как окаменевшие раковины моллюсков, гранита. Ни вода, ни ветер. Ничто, созданное Богом на этой планете, не останется столь равнодушно-безответным к тебе. Решай...

(... — Сделай, пожалуйста, так, чтобы я знала, где ты и что!

— Мам, я вон на той горке была. Ты меня даже из посёлка могла видеть...

— Пропадаешь целыми днями чёрт знает где. Дима, вон, обижается...

— Ничего он не обижается, что ты выдумываешь!

— Ничего не выдумываю. Вчера весь день спрашивал и глазами всё по сторонам косил...

— Мам, он маленький.

— А ты у нас, что ли, старуха древняя уже?

— Я, может, и не взрослая. Но он — точно маленький.

— Всё, отстань от старухи, — смеясь, вмешивается отец. — Они к своим годам знаешь какие вредные становятся — не переспоришь.

— Короче, ты поняла? Чтобы я знала.

— Ладно-ладно.

— Не «ладно-ладно»!

— Всё! Поняла.

— Мы в Новый Свет завтра. ВСЕ ВМЕСТЕ!

— Мам, я не хочу...

— И Дима тоже...

— Что ты пристала ко мне со своим Димой?!

— Я тебе сейчас пристану! Хамка!

— Всё! Не трогай её. Пусть остаётся, — отец хоть и защищает, но в тоне проскакивают нотки обиды. — Вовка тоже не едет — приглядит, если что.

— Ага. За ним бы кто приглядел!

— Не начинай...)

17

За первую неделю все окрестные скалы, подозрительные осыпи и расщелины были обследованы с дотошностью Паганеля, рассудительностью капитана Гранта и одержимостью его детей. Море не ревновало. Такое спокойное и ласковое, в эти дни оно мерцало издалека уютом своей безграничности. Как добрая тётушка после положенного застолья, прислонившись к плетню, одними глазами провожает любимого племянника в армию.

Сам Кара-Даг остался «за бортом» — слишком далеко. На такое предприятие однозначно не хватило бы времени «безнаказанной демократии», как в шутку говорит отец, когда вам изредка удаётся побыть просто вдвоём — пять-десять минут перед сном, спрятавшись в чернильной тени декораций персикового сада. Выскочив из жёлтого облака, освещённого одной лампочкой террасы, из трескучего роя ночных бабочек, вы шепчетесь и глотаете ночь. Не печальную и бесконечную, как дома. А такую же «бутафорскую», как и крымские горы, ночь. Ночь, где небо исполняет не ведущую партию, а является скорее фоном, драпировкой для запахов и звуков...

(... — Ты поосторожнее там, юный альпинист.

— Пап! А то ты не знаешь...

— Я-то знаю. И ты, может быть, знаешь. Но до конца не понимаешь. К этим реликтам, — отец машет рукой в сторону рваного контура вершины Кара-

Дага, еле заметного на фоне всё более чернеющего неба, — подход надо иметь. Никогда, запомни, никогда не считай надёжным ни один камень здесь, ни одну скалу! Забьёшь костыль — а она, может, только на этой последней «спайке» и держалась...

— Пап, я не пользуюсь и не собираюсь пользоваться никакими специальными приспособлениями. Ты же сам говорил. Надо *самому*. Это *естественно*. А если естественно не получается — значит, нечего там человеку и делать.

— Естественно-неестественно, а пока семь раз не проверишь — не опирайся!

— Я знаю. Не волнуйся.

— Знает она... Знать — мало. Гора — это равнодушный хищник. Захочет — пропустит. Захочет — убьёт. Не потому, что враг. А потому, что наплевать. Это бесконечная испокон веков, тихая и неумолимая война неорганики с органикой. И на этой войне ни на секунду нельзя расслабляться!

— Я сама хищник!

— Сопля ты зелёная! И единственная моя дочь по совместительству... И, к слову, живой хищник из плоти и крови — это одно. А камень — это... как тебе объяснить... Совсем другой ритм жизни. Он живой, конечно, как и всё во вселенной. Но нам — людям — проще понять и принять смерть, чем постичь восприятие мира камнем, даже приблизительно. Понимаешь, о чём я?.. О том, что в данном случае близкое, понятное и привычное по форме бесконечно чуждо по содержанию, бескрайне далеко по ритму и чуть ли не противо-

положно по мироощущению. Вот что такое камень...
Ладно, пойдём спать. Ты правда не хочешь завтра с
нами в Новый Свет? Там бухты — загляденье...

— Не обижайся, па, с тобой я хочу всегда и везде...
Просто надо ещё кое-что разведать...

— Ладно, разведчик хренов, — бурчит отец, обнимает за плечи и целует в висок...)

...Зато «Три верблюда»[1], с её коварными поли-
рованными боками, неожиданными селевыми лож-
бинами, вымоинами и обрывами, была «обработана»
в день похода «все вместе» на пляж Лисьей. Тогда
неожиданно налетевший шторм посадил на трезу-
бец горы густую наэлектризованную шапку водяных
паров. Это была феерия! Кульминация *путешествия*.
Взрыв за спиной кизилового куста, в который попала
молния. *Безумный бесшабашный спуск по глинистой
ложбине в потоках бурлящей воды, как на горных
лыжах...* И море! Принявшее в объятия вскипевшей
от шторма, тёплой, как парное молоко, водой.

Вспышки, блеск, рокот, запах палёного дерева и озона, стремительное скольжение, внезапный
простор безопасности и горизонта и горячая мас-
сажная ванна в сполохах жёлто-зелёных солнечных лучей, струях песка и хлопьях пены!.. О боги,
боги, зачем вы дали людям что-то большее?!

---

[1] Местное название характерной «трёхгорбой» горы
в Лисьей бухте.

В Новый Свет вся компания срывается рано — часов в семь. «Прихворнувший Вовка» — следуя материной логике — будет «болеть» до обеда. Потом пойдёт «лечиться». Чтобы к вечеру «разболеться» окончательно. Но это не важно. Пару дней назад запланированная «разведка» так бередит солнечное сплетение, что уже с шести утра ты ешь на завтрак «что положено», моешь в рукомойнике стаканы и толстые бутылки из-под ряженки — на обмен, застилаешь постель, более или менее складываешь разбросанные по всей комнате и террасе вещи... И вот, наконец, последнее материно «смотри у меня!», странный взгляд отца и... блаженная тишина. Миг перехода. От всех к *себе*. Это... Это как... Вот хочется то ожерелье с развала на пристани за два пятьдесят, но «у нас бюджет». А оно такое... Такое! Не то чтобы... Там много таких одинаково-разных. Но это — *твоё*. И ты уже и клянчила, и злилась. Использовала и шантаж, и подхалимаж. Но... «бюджет»! Железобетонный, как сваи старого пирса, «бюджет». Ты уже и забыла, и вдруг — раз! Пять рублей! Аккуратно свёрнутые вчетверо — явно неловко выпавшие у кого-то из запоясной заначки — на дорожке к столовой с запахами свежей запеканки с изюмом... Захватывает дух, скоропостижно умирает «гражданская совесть», и воскресшая «на третий день» мечта заставляет затаиться. И смаковать, и смаковать Великую Удачу.

Позже месяцами, как Гобсек, ты достаёшь своё сокровище «погулять». Оклемавшаяся от летаргического сна «совесть» не подпускает к последней радости Удачи — поделиться. Даже с отцом...

Так и сейчас. Величественная Старая Тётка Удача дождалась своего часа. Сбросила наконец «всехние» ритуально-старомодные наряды — и обнаружила вдруг себя маленьким и в то же время не по годам мудрым зверьком. Задорным, но целеустремлённым. Смешливым, но полным планов действий...

Как можно не затаиться в такой момент?!

Откусив первый кусочек свежей чурчхелы, не повалять его языком во рту, смакуя и растягивая, потихоньку подбираясь к ядрышку фундука. А когда орешек освободится от последнего желатина, покатать его справа налево, решая, и, наконец, раскусить. Одну половинку спрятать в защёчный мешочек, а вторую — медленно разжевать, ощущая всеми рецепторами, как близки вкусы всего *естественного*. Как сейчас — виноградного сока и лесного ореха... А впереди ещё целая гирлянда ореховых ядрышек на нитке, слитых воедино малиновой вязкостью виноградного «каучука»...

Вечность иногда имеет такие простые воплощения!

Не сама *та* скала так привлекла внимание два дня назад.

Сколько раз уже во «внутреннем календарике» ставилась пометка «не забыть», когда странный даже по крымским меркам утёс, именуемый местными под водочку «Пиком Ленина», мелькал за окошком рейсового автобуса или такси. Только *подходы* сдерживали и заставляли откладывать «разведку» до следующего «не забыть». *Естественные подходы* — это очень важно. Не менее важно, чем сама «разведка». А к «Пику Ленина», окружённому с разных сторон виноградниками, можно было подобраться только по шоссе. Разумеется, асфальтовому. Где-то с километр от посёлковой площади...

Но был брошен *вызов*!

Тогда, с «площади» между почтой и столовой, было хорошо видно, как по гребню утёса поднимались «в связке» четверо альпинистов. Именно «альпинистов».

Никто и никогда не назовёт «альпинистом» юного сорванца, лазающего по окрестным скалам и расщелинам. Но если тот же сорванец делает всё это с помощью «приспособлений»... Кто-то стремится «к», а кто-то «от». Ещё одна, кстати, самодостаточная градация человечества на половинки.

Вызов был принят. И Старая Тётка Удача, обернувшись — впрочем, как обычно — совсем не тем, что о ней обычно думают, предоставила время для «дуэли».

Если, топая по асфальтовой дороге, смотреть не себе под ноги, а на раскинувшиеся по обе стороны трапеции и треугольники виноградников, то можно совсем не вспоминать о том, что люди делают с красотой планеты обетованной. Невспоминанию очень способствует совершенно неповторимый аромат сухой прелости, свойственный исключительно прибрежным областям южного Крыма. Ближе к морю — нотки «La Coast». Чуть глубже в материк — пряности от «Chanel». И только здесь — в двух-трёх километрах от прибоя, в камерных долинах — запахи смешиваются безупречно иррационально.

Прохлада утреннего бриза, пронзённая закипающей яростью нового солнца... Безумная яркость, не нарушающая покоя...

Шоссе как не бывало.

Ноги, соскучившись от однообразия горизонтального хода, с бугорка на бугорок проносят наэлектризованное утренним воздухом тело через сопку к подножью «зуба».

Почему «пик»? Скорее именно зуб. Или — обломок широкого клинка. Наконечник Эскалибура, замурованного в земной тверди вверх тормашками.

У подножья — колотые, местами треснутые пополам плоские глыбы. По ним легко. Но это уже не земля. Уютные формы — обманчивы. Светло-серый отлив каменных боков — искусно маскирует трещины и неустойчивость отдельных выступов. Выше — темнее. Или это просто тень солнца, оставшегося с другой стороны. Обратная сторона света...

Ты рыщешь взглядом, уже привычно прощупывая невидимые лишённому радости вызова «полки» и трещины.

«Альпинисты» шли по гребню. Их можно понять. Там всем их приспособлениям найдётся работа. Но ползти по кромке — форпосту горы в борьбе со стихиями, наиболее ветхому — без страховок — нет уж!

Только дураки могут думать, что здравый смысл противоречит романтике!

Хорошо, отец научил: никогда не отправляться в скалы одетой «по-пляжному». Свободные джинсы, куртка, ботинки. С подошвой, которая в состоянии уберечь ступню от остроугольного камня, но при этом достаточно эластичной, чтобы чувствовать — что у тебя под ногами...

Надо же. А зуб-то болен!

Из посёлка этого не видно — длинная трещина расколола всё образование снизу доверху. Ну, может, и не доверху... Там посмотрим!

Уклон — терпимый. Взрослому, конечно, было бы тяжеловато, но тебе, скрученной в спираль *готовности,* — легко. Как паучок, всеми лапками, фиксируя тело враспор, отдыхая каждые два-три метра подъёма, ты пробираешься по влажной и прохладной ещё с ночи расщелине вверх. Мечтая лишь об одном — чтобы концом стала вершина.

За очередным изгибом разлом вдруг распахивается, и тебя ослепляет горячим всплеском уже высоко поднявшегося солнца... Нет. Это ещё не вершина. Выглядываешь, цепляясь руками и прильнув телом к нагретому камню — над головой метра два с половиной — может, три — идеально гладкой отвесной скалы... Это нужно обдумать. Неудача *здесь* — значит, надо искать *другой* путь. А сегодня — *сейчас* — не хватит на это времени. Одно дело — для одного времени. По-другому — это уже другое дело. Так что надо осмотреться повнимательнее...

Вертясь в узкой расщелине, устраиваешься враспор спиной и ногами, полусидя при этом на пятачке размером чуть больше чайного блюдца, ещё раз благодаришь отца: крепкая джинса́ принимает на себя все колкости и укусы камня, не желающего мириться с теплокровным соседом в своих недрах.

Долго засиживаться нельзя — солнце и ветер, играючи, быстро и незаметно заберут силы. А их всегда должно оставаться с запасом. Любой знает: спуск тяжелее подъёма...

Глоток воды из фляги, что болтается на тесёмке за спиной.

Взгляд вниз с высоты седьмого этажа — и ты видишь у подножья отвесной скалы осыпь крупных осколков, похоронивших под собой добрую часть кустарника. Ничто не вечно. Под дождями, ветрами и палящим солнцем доспехи горы трескаются, отслаиваются и обрушиваются вниз. Роза ветров определила именно эту сторону как наиболее подверженную стихиям — смотрящую на море. Посёлок — как на ладони...

Наверху — кромка верхней площадки. Заветная вершина. Практически рукой подать... Неужели никакой возможности? Так не бывает!

Вывернув голову чуть не наизнанку, чтобы осмотреть ту часть стены, в которую упираешься спиной, вдруг обнаруживаешь длинную, узкую — шириной всего в ладонь — «полку». Вот почему ты её сразу не заметила! Устроилась бы наоборот, и тут же всё было бы ясно, что дальше!

«Полка» полого идёт на подъём. Пара метров мелких — в полботинка — шажков, влипнув в стену, — и можно будет зацепиться первыми фалангами пальцев за край площадки. А это значит — всё! Ты на вершине!

Первая попытка «выйти на полку» приносит укол страха. Неудачный угол расщелины требует от тела совершить какой-то невообразимый изгиб. А брошенный взгляд на ощерившуюся осыпь у подножья в какой-то момент сковывает и не даёт проскочить «момент истины»...

Отдышаться, расслабиться. Стать безразличным, как глыба, внутри которой ты сам... Страх — как неожиданный шквал. Его нужно пропустить, ослабив шкот, но не меняя курса...

(... — Не рыскай по ветру! Так больше шансов, что следующий шквал застанет тебя врасплох! Чувствуй парус — половина тебя гибкая и упругая, как и он. Вторая половина тебя — это румпель. Упрямый, несгибаемый, но точный, как осциллограф...

— Я стараюсь...

— К чёрту старанья! Ты пират всех морей! Чувствуй!

— Не кричи, я их вижу...

— Не всякий шквал обнаружит себя рябью. Ветер — как леопард. Иногда он тихо и беспощадно бросается на тебя сверху со скалы!..)

...Со скалы... Господи, даже не думать! Нет никакой *скалы*! Есть *стена*. А на всякую стену можно *влезть*...

Со второй попытки тело мокрым газетным листом пристаёт к стене. Не успевший «к звонку» страх тенью огромной птицы по ветру уносит прочь.

Первый неглубокий вдох.

Левая щека быстро нагревается от камня. Чёртова клёпаная пуговица на куртке больно давит чуть выше солнечного сплетения... Нужно отпустить край расщелины и сделать первый шажок... Пальцы левой руки с неохотой разжимаются, и ладонь скользит по шершавой поверхности чуть вверх. Правая ступня, чуть ёрзая, начинает по сантиметру двигаться вдоль «полки»... Дьявольские пуговицы! Кажется, их скрежет может разбудить не только гору, но и «больного» Вовчика где-то там — внизу!

Сантиметр, ещё сантиметр и ещё... Ещё немного, и ты сравняешься по скорости жизни с камнем. Время растворяется в шершавых порах скалы и ветре. Кажется, кто-то огромный мягкими пальцами тянет тебя, как подложку из-под переводной картинки. А это нужно делать *о-очень медленно* и *о-очень осторожно*...

Пот течёт по желобку позвоночника... Когда мысли уже готовы вернуться и захватить над тобой власть, кончики пальцев правой руки вдруг соскальзывают с бесконечной плоскости в захват. Немного подтягиваешься, ещё продвигаешься вдоль стены — и вот уже и вторая рука, подтянувшись вверх, нащупывает край. Полный захват. Подтянуться, закинуть левую ногу, ещё подтянуться, рывок и перекат. Но осторожно! Через паузу. Бывает, что долгожданная площадка оказывается узким гребнем, обрывающимся в пропасть с другой стороны.

На этот раз «стол» размером примерно с кухонного брата. Можно лечь, раскинуть руки, и до краёв ещё немного остаётся. Совсем немного.

Пару глотков воды — и лежать. Лежать, закрыв глаза косынкой от жгучего солнца, и слушать, как успокаиваются и растягиваются в неге перенапряжённые мышцы. Можно даже подпустить поближе старого Дрёму. Но не ближе, чем он сможет овладеть тобой. Заснуть, не имея верёвок, чтобы привязать себя к безопасному месту?.. Лучше уж сразу прыгнуть вниз головой! Спасибо отцу за науку.

Лежать. Лежать в безмятежном покое парения. Без мыслей, без чувств...

Человек с закрытыми глазами не подвластен эйфории. Поэтому она носится вокруг и голосами чаек кричит: «Посмотри! Посмотри! Посмотри!» И шелестит бесплотными губами ветра: «Пусти меня! Открой глаза! Пусти меня!»

Открыть глаза — значит тут же оказаться в центре мира. С чувством необъятности, переполняющим сердце...

Мгновенно, на вдохе впитав в себя «сферу бытия», ты возвращаешься в тело. И уже на выдохе снова начинаешь воспринимать звуки, запахи, отдельные домики на склонах, лекала рисунков, что пишут ветер и течения на грунтованном холсте моря...

Где-то к четырём. Жара достигает предела — хотя здесь, наверху, этого так не чувствуешь, — но уже понятно, она вот-вот начнёт отступление. Ещё есть немного времени, сидя «по-турецки», поискать глазами «наш дом» в посёлке. Площадь с большой клумбой в центре видно сразу. И кипарисовую аллею перед колоннадой корпуса пансионата, и белые стены открытого кинотеатра, и даже кусочек пирса. И, конечно, безграничное сияющее Чёрное море. Почти белое там, где сливается с небом, безо всяких линий...

Ты вдруг болезненно начинаешь скучать по нему. Такое близкое — оно вдруг начинает казаться безумно далёким... Просто невозможным!

Как здорово было бы сейчас наблюдать за собственной тенью, скользящей по рябым дюнам прозрачного царства воды и света! Море единственное позволяет тебе *парить*...

Жаль, что сегодня — *сейчас* — уже не успеть. Время — странная субстанция. Облепив скрученное в спираль готовности тело, оно консервирует своё течение внутри. Но там — во внешнем мире — бесится и летит во все стороны, путая направления, отставая и навёрстывая стократно... В этих вихрях рождается и умирает наше *сейчас*. И наше *потом*. Но всегда что-нибудь остаётся. *Всегда*... Наверное, *всегда* — это просто — *ещё*...

Странный свист отвлекает от мыслей и заставляет среагировать поворотом головы... Чайка! Так близко! Видно, как вибрируют жёсткие перья крыла в упругом потоке ветра. Принеслась откуда-то и зависла в *парении* на уровне твоих глаз...

Это море присылает своих гонцов!

Тоска отступает, и ты начинаешь любить сильнее этих «глупых и неразборчивых птиц». Кому пришло в голову назвать их «глупыми и неразборчивыми»?..

Появляется ещё одна. И третья, чуть в стороне. Та, что ближе — первая, — слегка наклонив голову, неотрывно смотрит: «Почему? Почему? Почему?»

Потому что!

Расправив косынку, ты поднимаешь её над головой, как флаг. Птицы без испуга, как будто *запрограммированно*, смещаются чуть дальше в плоскости парения. Ни одного движения! Как им это удаётся?!

Хочется вскочить и нарушить эту безупречную *геометрическую* модель первобытным криком. Но нельзя. Площадка слишком мала. Караулящий где-то рядом в смешении плоскостей шквал леопардом кинется на зазевавшуюся по неопытности жертву! Громко хлопнет по куртке, напугает, заставит совершить неловкое движение...

Салют! Салют! Всё ещё *плывущим* в неподвижности птицам.

Но надо собираться обратно.

Немного воды. Всё проверить. Перешнуровать ботинки.

И в обратном порядке.

Спустить ногу. Вторую — через колено. С подмышек на предплечья. И, повиснув на пальцах, тянуть носок левой ноги в поисках опоры...

Ещё немного. В готовности чуть-чуть начинаешь ослаблять захват. Но опоры нет!

Склонив голову, видишь «полку». Но заглянуть через плечо за спину, чтобы понять, сколько осталось тянуться, нет никакой возможности. Пальцы автоматически впиваются в край площадки, и руки подтягивают тело вверх. Назад. В чём дело?..

Чуть отдышавшись, снова виснешь вдоль стены и тянешься, тянешься...

Нет.

До «полки» наверняка каких-то пара-тройка сантиметров. Ты *знаешь* это. Но не видишь, не чувствуешь...

Нужно просто отпустить руки и скользнуть по стене. Чуть-чуть *упасть.* Три сантиметра полёта в пропасть. Миг? Полмига? Одна восьмая?.. Опора неожиданно «ударит» снизу. Как отреагирует тело?..

Горячим гейзером волна из солнечного сплетения снова выбрасывает обратно на площадку. Дыхание сбито. Волосы под косынкой топорщатся от мелкой дрожи. Сердце, скованное обручем первобытного страха, бешено колотится...

Край солнца касается далёкой гряды.

Не хватало ещё застрять здесь, элементарно истратив все силы на нерешительность!

Ещё одна попытка...

Никак! Это невозможно! Невозможно!

Невозможно заставить себя отпустить последнюю опору. Прыжок в пропасть по доброй воле?! Но ведь всего три сантиметра!.. Да хоть три километра! Какая разница!

Низ живота начинает неприятно крутить. Руки холодные...

Нужно отдохнуть.

Лучше всего на животе — так не заснёшь. Ещё десять-пятнадцать минут, и солнце уйдёт. Останется только ветер. А ветер — это усталость. Быстрая и неизбежная.

Застегнуть куртку до конца, поднять воротник, руки под себя — ближе к животу. Внутреннее тепло надо сохранить. Пока отдыхаешь. А потом...

Потом нужно спокойно *принять* то, что прыжок совершить придётся. Видимо, это какая-то особенность человеческого тела. Рвущееся к вершинам, оно становится длиннее на три сантиметра своего стремления. Отступая же — группируется в своих законченных опасениях. Уговорить его, что стремления бывают разных направлений?.. Нет. Не уговаривается. Тысячи поколений предков формировали для тебя этот чёртов ген, приспосабливаясь к гравитации собственного дома!

Чайки пропали. Наверное, вернулись *домой*, чтобы с зеркальной глади спокойного сегодня моря наблюдать уходящий день. Солнце, хватаясь лучами за край земли, тянет его на себя, как одеяло. А «глупые и неразборчивые» птицы уходят всё дальше и дальше к горизонту, чтобы оттянуть момент расставания со светом. Но эта игра не бесконечна. В какой-то момент одеяло поддаётся и накрывает уставшее солнце с головой. И тогда птицы неохотно поднимаются с воды и возвращаются к прибрежным скалам, тёплым мелководьям и опустевшим пляжам. Чтобы перекусить чем бог послал и обсудить дела прошлые и грядущие...

Мысли о бесконечном море и птицах не приносят покоя. Но дают возможность отдохнуть.

Долго нельзя — становится прохладно. Всё, что не отнимет ветер, — заберёт в свои параллельные измерения скала. Нужно подниматься.

Камень остывает медленно. Но это обманчивое тепло. Тепло — приманка. Ловушка, расставленная одной формой жизни для незадачливых путников другой.

Размять кисти, подвигать ступнями. Воды — пара глотков. Один оставить. Мало ли...

Похоже, ветер меняет направление. Нагулявшись за день по окрестным хребтам и заливам, теперь он затяжными раскатами трубача задувает в долину пыль и запахи с внутренних равнин. Это хорошо. При спуске скала прикроет...

Нельзя! Нельзя! Нельзя!

Нельзя бесконечно висеть над пропастью!

Нельзя ждать!

Нельзя умирать!

...Снова площадка.

Леопарды шквалов, уже не скрываясь, с рычанием бросаются на вершину. Ночь — эта «бутафорская» ночь — тяжёлым камнепадом заваливает последние прорехи света в пространстве.

В посёлке светятся окна, террасы и фонари. Кажется, даже продираются сквозь ветер какие-то звуки. Уютные, радостные, домашние...

Ещё холодает. Это плохо. Очень плохо. Наверное, с внутренних равнин пришёл циклон. Только бы не дождь! Звёзд не видно. Всё вокруг заливает чернотой...

Если пойдёт дождь — конец! Если пойдёт дождь...

Пошёл дождь.

Невидимая морось обволакивает всё вокруг скользкой пылью.

Это последний шанс. Пока тёплый камень ещё в состоянии впитывать и испарять влагу.

Снова у «точки невозврата». За ней — бесконечное трёхсантиметровое падение в бездну...

А вдруг «полка» скользкая?.. Только бы ноги не испугались «удара»! И руки... Не скрести пальцами. Непроизвольное неконтролируемое сокращение даже самой маленькой мышцы может откинуть от стены. И тогда *действительно бесконечный* полёт. Куда?.. В прошлое? Будущее?.. Плевать! Наплевать на всё! Как всему наплевать на тебя! Даже морю! Присылать «гонцов»... Глупость какая! Зачем?! Если не осталось больше ничего...

Бездумно, безвольно в отчаянную черноту ночи ведёт тебя твоё стремление.

Пальцы разжимаются...

Знакомый свист за спиной. Мелькают чуть склонённая вбок маленькая головка и круглый немигающий глаз: «Почему? Почему? Почему?»

Падение...

Необъятный. Распространяющийся во все стороны вселенной шелест пуховых перин... Приятное тепло в основании шеи. Как касание... Так отец, думая, что ты спишь, обхватывает затылок своей огромной ладонью...

Падение...

Абсолютная тишина.

Идеально белая матовая колонна. Верхняя часть неровно сломана и выглядит как надкушенный бисквит. Орёл красиво парит вокруг, описывая круги в одной плоскости. Он имеет что-то общее с колонной и пространством...

Тридцать девять секунд полёта...

Падение...

Тьма клубами заволакивает колонну.

Орёл стремительно увеличивается в размерах, налетает. Его бездонный глаз без зрачка закрывает собой всё...

На миг вспыхивает полосками далёких огней ночь.

На границе всего слышен оглушающе пронзительный крик...

Парение...

(... — Ну, что ты с ней будешь делать! Окна все нараспашку! Теперь полночи комаров выгонять!

— Тише. Разбудишь.

— Как же, спит она!.. Правда, спит. Странно... Лоб горячий! Закрой окна, что ты стоишь! Может, разбудить — таблетку дать или...

— Не надо. Раз спит — значит, всё нормально...

— У тебя всегда всё нормально! ... Что тут под ногами, не пойму?..

— Перья. И здесь, на подоконнике, — тоже...

— Слава Богу! Хоть на море была, а не по своим верхотурам карабкалась. Это ты её разбаловал! Учишь не пойми чему, а у меня уже нервов не хватает каждый день думать, вдруг сорвётся или...

— Странно. Зачем ей столько перьев? И на море вроде *не собиралась*...

— Охотником теперь твоя дочь заделалась! На чаек! Господи, если она ещё что-нибудь выдумает, я с ума сойду! Может, всё-таки разбудить?..

— Нет. Накрой лучше. Если простыла — за ночь с потом всё выйдет.

— Вот и будешь сам к ней всю ночь бегать — накрывать, лекарь доморощенный!

— А мы что, жить сегодня торопимся?

— Знаешь что!..

— Знаю, знаю. Всё знаю. Пойдём на улицу, по стаканчику.

— Холодно... Эта сикилявка небось до ночи торчала в своих «пиратских бухтах» — и вот результат!

— Я тебе одеяло захвачу. Пойдём. Пусть спит. Завтра с ней поговорю.

— Ты бы лучше «поговорил», чтобы оторвой не росла! И не болталась по вечерам в одной курточке в такой...)

ветер

Годом позже случилось что-то невероятное.

Тот самый «больной Вовка» — для друзей Макс — был как раз самый что ни на есть здоровый. Высокий, широкоплечий. Это он читал «оригинального» Чейза, заводил всех на «пульку»[1], обожал охоту, рыбалку и «разведки». Геолог. Не из тех, что «поближе к тушёнке держатся», как говорит отец, а настоящий.

Будучи научным руководителем по изысканию чего-то там в недрах необъятной родины, он каждый год возглавлял партию «отпетых камеральщиков», в компании которых и проводил с удовольствием время своей необузданной жизни то на берегах Подкаменной Тунгуски, то среди Кызылкумских барханов. Его знаменитое «Кто не пил с нами — должен ещё доказать свою порядочность!» — стало не просто притчей во языцех разношёрстных компаний, но и в своём роде кредо и даже гимном крепких, живущих, работающих и выпивающих в своё удовольствие мужчин...

В общем, долго сказка сказывается, да быстро дело сделалось.

Когда Макс — Владимир Максимович — предложил кое-кому из своих друзей — в том числе и отцу — разделить очередные «тяготы и лишения» полевой жизни в виде свадьбы его ташкентского друга, рыбалки на Балхаше и ещё всякого разного «по дороге», уговаривать никого не пришлось. Отец вообще «на подъём» никогда не задерживался.

---

[1] Партия в преферанс.

Мама поворчала, конечно, для порядка, мол, куда?! Ты — здоровый взрослый мужик, а она — девочка, за тридевять земель, мужская компания, и всё такое. Но вольный дух странствий — это вам не какая-нибудь там вшивая героиновая зависимость. Чтобы остановить — надо убить. А убивать мама никого не хотела. Так что... Хватай мешки — вокзал отходит! В смысле, аэропорт. Следующая остановка — Ташкент. База геолого-разведочной партии и...

Гамак меж двух стволов огромного грецкого ореха. Гора арбузов. Крепкие и умные мужчины, которым и хочешь в чём-то помочь — да не успеваешь. Арыки. Любящие лукавые глаза отца. Казан плова на свадьбе в двух кварталах от базы. В такой, наверное, царь и прыгал, когда хотел омолодиться. Туда с десяток этих царей влезло бы, и крышка бы закрылась. А что за пряный дух! Не от плова. Нет. От него, конечно, тоже... От всего!

От сазанов и толстолобиков на рыбном базаре, «распятых», как телята. От сахарной сердцевины арбуза, сорванного прямо на бахче и сломанного отцом об колено, — «остальное не ешь, здесь так не принято». От сухой с виду, но такой живородящей земли виноградников и персиковых садов. От ковров в чайханах, где мужчины разливают водку в пиалы из фарфоровых чайников. От сочащегося битумом асфальта. От брезентового тента на биваке. От раскалённых скатов шестьдесят шестого.

От блинов, которые на сорокаградусной жаре на костре жарят все по очереди, потому что «кое-кто» забыл погрузить на базе газовый баллон...

Первый переезд. Ахангаранская долина. Какое-то крупное месторождение[1]... Ангрен.

Отец говорит, что на староперсидском языке это означает — Долина Смерти. «Наверняка здесь в древности из-за выхода на поверхность угольных газов гибло много путешественников по Шёлковому пути. Долина уютная. Останавливались передохнуть, а поутру просыпались не все», — тут же добавляет Владимир Максимович.

Всё-таки умные и образованные мужчины — это вещь!

Когда всё, что ты знаешь о «крупных месторождениях», — это «условные обозначения» в атласах на уроках географии, то слово «крупные» как-то притирается, бледнеет, сжимается до *обычного* размера... А вот когда перед тобой открывается картина «кратера», в который когда-то упало что-то не меньше Луны!.. Вот тогда и обретают явный смысл все эти «крупные месторождения», «открытым способом»... А когда при спуске по карьерному серпантину навстречу «шестьдесят шестому» поднимается двухсотдвадцатитонный «БелАЗ»!!!

---

[1] Ангренское угольное месторождение.

Ощущение такое, что ты сидишь на табуретке посреди взлётной полосы, а на тебя выруливает аэробус! «Шестьдесят шестой» по сравнению с этим моторизированным домом — как детская машинка с педалями из «Детского мира» рядом с «КамАЗом»! Ну, или что-то вроде того...

Мужчины с кем-то разговаривают. Вокруг блеск, пыль, рокот...

Потом сто метров под землю в дребезжащей железной клетке, в касках с фонарями и с тяжёлыми аккумуляторами на лямке через плечо. В норы огромных мышей. «Пища богов» не просто сделала их великанами, но и нарастила железные доспехи. Какие-то клешни, валы, гусеницы... Минотавр умер бы от зависти и унижения, услышав в сводчатых чёрных коридорах их рык... «Никуда не отходи!»

Никуда не отходить!

Сто метров в бассейне — кролем — на двадцать вдохов. А тут каждый метр над головой давит. Какой там отходить! Боишься дышать... Необъятное, чёрное, тяжёлое и прекрасное Царство Земли! Господи! Да заплутать в керченских или одесских катакомбах было бы за счастье!

И снова солнце! Алчное и дарящее. Снежные шапки пиков Чаткальского хребта... И ты уже не веришь в царство Аида, планомерно изучаемое железными клешнями машин где-то глубоко под твоими ногами.

Немного печенья. Холодный чай из обшитой толстым войлоком армейской фляги... Макс подарил. «Пользуйся, я себе ещё сделаю. С утра в воду клади, чтобы войлок пропитался, и на солнце не оставляй. Всегда будет прохладный чай, поняла?..»

Вечером в Чимкент[1], который проскочили утром, — ужинать у друга Владимира Максимовича — владельца ресторана. Что-то ужасно вкусное. Похоже на тонкие ломтики отварного телячьего языка, но во рту тает, как пастила. С неподражаемым тонким букетом пряностей... Хозяин с полчаса пытает мужчин на предмет — угадать, из чего приготовлено. Никто не угадывает. «Это утка, ребята, обычная утка... И я бы не поверил, если бы сам не готовил!»

Весь оставшийся вечер мужчины пытают хозяина с целью выведать рецепт. Тот вежлив, радушен, но непреклонен. «Семейный рецепт, двести лет уж как, извините. Ко мне полгорода на это блюдо ходит...»

Ночуем у него же в огромной квартире со множеством балконов и террас. Запахи карамели, дерева и старины. Седой от пыли «шестьдесят шестой» всю ночь скучает под окнами...

Рано утром ненадолго в Кентау — «по делам». Дальше, огибаем южные отроги Каратау и поднимаемся севернее, к пескам Муюн-

---

[1] Шымкент.

кум[1]. Базовый домик в посёлке с поэтично звучащим названием — Айгене. Мужчины говорят, что здесь задержимся суток на двое-трое...

День-другой без резкой смены обстановки и впечатлений — и ты немного успокаиваешься. Мозаичные фрагменты ощущений, наблюдений и мыслей наконец-то складываются в более или менее законченную картину.

Уже привычно — не идти на поводу у жажды, а удовлетворять её редкими маленькими глотками свежезаваренного горячего зелёного чая или из фляги. Взгляд обнаруживает странную особенность — отклоняться от прямой линии и заворачивать за отдалённые объекты. Тело наливается соком и какой-то непонятной силой. Откликаясь на зов пустыни, оно мгновенно включается в жизнь с первыми лучами солнца. В самом прямом смысле! Спишь-то ты всё равно в спальнике на крыше «шестьдесят шестого». Зачем нужны эти дома с их такими *неестественными* кроватями?! Спальник — другое дело. Зелёный брезентовый чехол с капюшоном. Внутри — кокон стёганого матраса. Потом ещё один кокон — простыня. Тоже с капюшоном. А дальше уже ты... Получается матрёшка!

---

[1] Мойынкум (*каз.*) — песчаная пустыня на юге Казахстана.

Первый луч, лёгкое дуновение ветра — и глаза распахиваются, не помня снов. Тебе вообще уже начинает казаться, что сны — это только для тех, кто *недоживает* наяву...

Выкручиваешься из «матрёшки». Встряхиваешь и раскладываешь освежиться простыню-кокон. Быстро спрыгиваешь на землю. Пригоршню воды в лицо из рукомойника. Свежую морковку из ящика около кухни. Плотно зашнуровать кеды — обязательно с носками — так реже придётся вытряхивать песок! Шорты, косынку, флягу приготовленного с вечера чая — и... бежишь на зов.

Километр, полтора... Нужно успеть. Это важно! *Таким* мир уже не будет весь день!

Белесовато-жёлтые в утреннем свете барханы горками рассыпаны на глинистом плотном буром «асфальте» степи. Связанные между собой полумесяцами и острыми стрелками гребней — результат филигранной работы позёмки, — они никого не ждут. Погружённые на рассвете в себя, они неуютные. Но и не чужие... Ты выбираешь один и, прислонившись к гладкому, как слоновая кость, стволу саксаула, замираешь вместе с новорождённым миром. С миром, который через твои глаза вновь с удивлением и радостью разглядывает сам себя.

Ни шуршание черепахи где-то у подножья, ни шелест редкого кустарника... Только прозрачный тихий свет. Ты, свет и ветер...

Ветер, который дует здесь постоянно. Не освежающий, но и не надоедающий. С ним просто смиряешься, как с силой земного тяготения. Он не помогает, но и не мешает. Но он не безразличен, как скала. Скорости ваших с ним жизней — в отличие от камня — сопоставимы. Вам дано понять друг друга. Но ветер старше всех на этой земле и скуп на эмоции. За миллионы лет он привык разговаривать сам с собой, и ко всякому встречному-поперечному ему уже нет охоты обращаться.

Лишь в редкие дни, когда солнце переваливает за предел пикового зноя — где-то часам к четырём-пяти, — вдруг безо всякой причины может наступить затишье. Настолько полное, что пустыню мгновенно охватывает марево зрительных иллюзий. Нет, это не миражи идущих у кромки горизонта древних караванов, конечно. Просто воздух начинает слоиться. Плоскости — изгибаться. На миг повисает та самая «звенящая тишина»... Потом фоновый шум возвращается. Но уже другим. Сонным. Как будто кто-то неловко тронул объектив, и картина звуков расплылась, расфокусировалась, оставаясь при этом узнаваемой.

Вечерние барханы — совсем другие.

Пахнущие теплом, они больше походят на оранжевые куличики, которые уставшие от стихийных битв титаны оставили в песочнице, расходясь по домам...

Главное — взобраться с подветренной стороны. Чтобы собственные следы не нарушили *естественную* геометрию линий и плоскостей, когда ты будешь, повернувшись лицом к заходящему солнцу, прощаться с миром. Даже такая простейшая вещь, как человеческие следы — в самом прямом смысле, — в состоянии испортить эту безупречную мизансцену. Что уж говорить о «следах», оставляемых людьми в куда больших масштабах!

На закате нужно сидеть, погрузив руки в тёплый песок. Только так — на контрасте — ты не пропустишь, что начинает холодать. Тогда поднимаешься, скатываешься на ногах вниз, оглядываешься на «испорченный» следами склон и бежишь обратно в посёлок. Скоро ужин!

Прежде чем нырнуть за деревья на окраине, ещё раз останавливаешься и бросаешь взгляд на простор: земля, утомлённая, но прекрасная, развалилась в колыбели небес. Вдалеке отроги Каратау в лёгкой дымке... «Чёрные горы»...

Даже не верится, что мир когда-то мог быть недобрым...

Водитель Лёха говорит, что сейчас «в подножьях самые грибы». Какие? «Да как белые! Но немного другие... более пористые, что ли? Выцветшие... И собирать их надо до первых песчаных бурь». А потом что? «Потом есть невозможно — вся пустыня на зубах скрипит!»

Лёха весёлый. Даже бравый.

Вы сговариваетесь завтра после обеда — когда машина будет никому не нужна — отправиться в предгорья за грибами. Отец не будет возражать — только на кухне прибрать.

Отец Лёхе доверяет.

«Он — нормальный. Шебутной только. Всё в бой рвётся... А где твой крестик?..»

Чёрт! Чёрт! Чёрт!!!

Бабушкин крестик!

Обычный, медный. На тесьме, завязанной узелком.

Бабушку ещё совсем маленькой крестила её мама. А потом бабушка отдала крестик своей дочери: «Это наш, семейный. Носи. Мне уже ни к чему...» А та отдала его тебе... Ну, не совсем отдала... Ты выпросила. Непонятно зачем. Просто *так было нужно*. Мама всё равно его не носила, у неё был красивый золотой, на тонкой цепочке. А у тебя после крещения — серебряный, но... Мама ругалась: «Носи тот, которым крестилась!» — но отдала. Потом она ещё немного ругалась, что ты «таскаешь» его на обычной тонкой кожаной тесёмке: «Потеряешь!» А потом всё стало, как стало, — у мамы свой, а у тебя *свой*...

Что же случилось?! Может, тесьма от пота размякла и порвалась при неловком движении?.. Наверное. Но где? Где?! Это же могло случиться где угодно! *Где угодно...* Угодно в пустыне. А там один песок. Песок, песок и песок! Нет. Не может быть. *Этого просто не может быть!..*

(... — Чегой-то вы тут как в воду опущенные?

— Крестик, вон, свой потеряла.

— Крестик?.. Ну, это не беда. ... Не расстраивайся. Крестик, если он *свой,* — вещь, конечно, нужная. Но без тебя — это просто кусок металла.

— Я не расстраиваюсь. Просто не верю, что он потерялся...

— Что должно появиться в твоей жизни — появится. Что должно уйти — уйдёт. Вера здесь ни при чём.

— А что не должно уйти — останется?

— Однозначно.

— Оно не ушло. Я знаю.

— Ну вот и славно. Знание — сила. А сила — это покой. Understand?..)

Планы на следующий день меняются.

Мужчины рано встают и уезжают куда-то «по делам». Говорят, что вернутся только к вечеру... С грибами придётся повременить.

Отец просит приготовить ужин. Ты долго думаешь, что пропустить: утренний зов или вечерний покой? Решаешь, что лучше всё сначала приготовить, а к ужину только разогреть. Тогда можно будет ещё до обеда отправиться в пустыню и попробовать поискать крестик. Вдруг он всё-таки упал не в песках, а где-нибудь по дороге?..

Шурпа — одно из самых любимых твоих «коронных» блюд. Плов вот у тебя не получается. Он — забияка. С ним нужно жёстко, уверенно... Наверное, это больше мужские черты, и прав отец, когда говорит, что ни одна женщина не приготовит его так, как мужчина.

«Шурпа — она хоть и суп, а всё равно — женщина. Любит, чтобы с ней разговаривали. Долго. Всё объясняли. Потакали... А с женщиной главное — терпение. Невзирая ни на что. Ни на время, ни на другие дела. Зато когда она насытится твоим вниманием, можно, обложив её мягкими подушками, спокойно оставить на время...»

У Макса лучше всех получается объяснять простые вещи.

Оставив казан с шурпой томиться под двумя сложенными одеялами, ты уходишь в пески ещё до полудня.

Выражение «полуденный зной» не годится для пустыни. Зной — он мягкий и удушливый. Густой, пряный, жужжащий... Полдень же в пустыне яростен. В брызгах бликов среди теней. Или клякс среди бликов. Кому как больше по вкусу. Но всё равно невозможно сосредоточиться...

Крестик тусклый — ты давно собиралась его почистить зубным порошком. Тесёмка посерела от пыли и пота. Как можно разглядеть что-то подобное на фоне бурой глинистой почвы или в песке, где, кажется, каждая крупинка отбрасывает свою маленькую тень?..

Три часа суетливой беготни среди барханов изматывают. Затылок и шея превращаются в экран для раскалённого солнца-проектора. Всплески позёмки вызывают глухую ярость — ведь именно они могут бесследно и навсегда укрыть то, что ты ищешь!

Усталость, блеск и ветер заставляют тебя найти хоть что-то похожее на уверенную тень. От ствола толстого саксаула или от изогнувшегося вопреки законам физики гребня бархана...

Короткие глотки из фляги снимают стресс. Но не приносят покоя. А в этом хаосе света и звуков оплотом может стать только *покой*. Но как его обрести? Что может указать верное направление в мозаике из тысячи тысяч похожих деталей?..

Ты всё-таки пытаешься сосредоточиться на бесконечной фреске вокруг. Через какое-то время приходит ощущение некоторой закономерности — и странным образом *упрощает* мир. Или мир упрощается и даёт ощущение закономерности. Некоего законченного рисунка. Полотна. *Орнамента...*

Как следствие, это делает тебя более *равнодушной.* Первый шаг к *покою.* Здесь главное — не поддаться *безразличию.* Оно так же далеко от покоя, как репродукция далека от реального пейзажа, который художник густыми мазками любовно переносит на загрунтованный холст или картон... Безразличие опасно. Безразличие — пустая ловушка смерти. Ловушка, не требующая даже приманки...

...Время, время...

Растворённое мыслями и песками, оно превращает в песчинку и тебя. Свернувшись клубочком, ты засыпаешь. Это странный сон. Пёстрая пелена дремлющего сознания — и уютное соседство собственного тела, *естественно* встроенного в узор бесконечного *орнамента* пустыни...

...Внезапный звон тишины.

Ты рефлекторно взлетаешь на бархан и ещё успеваешь впитать глазами первый миг, когда линии и плоскости начинают ломаться и кривиться. Стекать, как часы Дали[1], с невидимых воздушных уступов. Неожиданно освобождён-

---

[1] Сальвадор Дали, «Постоянство памяти», 1931. Холст, масло. Музей современного искусства, Нью-Йорк.

ная от постоянных оков ветра пустыня тает. Тает и течёт, подкрашенная первыми признаками оранжевой усталости солнца...

Случись такое в блеске дня — и это было бы дерзко. Даже страшно.
Но на закате мир беззащитен...

Ты инстинктивно пригибаешься и садишься, скрестив ноги, чтобы не пугать его. И он, как будто в благодарность за понимание тонкости момента, распахивает перед тобою шатёр долгожданного *покоя*...
Что тут скажешь. Разве словами — этой вязью из паучков букв, интонаций и пауз — можно объять выдох удовлетворённой Вселенной?.. *Разве кто-нибудь будет против / Когда время основа твоя / Рухнет / И в мире напротив / Мы окажемся / Ты или я...*

Незаметно наблюдать мир из покоя — это совсем не то, что сосредотачиваться. Или «медитировать». Отец вон все уши прожужжал этими своими «медитациями». Сам сядет иногда где-нибудь в сторонке, и — не тронь, не подойди! А потом много говорит. Объясняет. Описывает... Только никакого покоя там нет. А здесь...
Ни одного движения. Ни веточка, ни травинка не шелохнётся. Ни птица не пролетит. Пески в

мареве кажутся постаревшими. Но так красиво постаревшими. Благородно. И всё — одно. И солнце. И небеса. И горизонт. И гладкий ствол саксаула. И ты...

Во вселенной всего движения — что только лёгкий поворот твоей головы. Просто чтобы убедиться — что само *движение* ещё есть, не ушло из мира навсегда.

Всё расплавлено, слито, сковано воедино и живо. Живо в оцепенении. Но как не бывает живо никогда. И вдруг...

Что это?! Взмах крыла? Движение соседнего гребня?.. Почудилось...

Нет! Вот ещё раз!

Да это же обрывок бумаги!!!

Кувыркаясь в замершем древнем воздухе на время брошенной ветром пустыни, белый лист выскакивает на открытый пятачок между соседними барханами — маленький пыльный смерчик — высотой от силы метра полтора, — поигрывая им, не спеша, движется мимо тебя...

Ты замираешь так, что, кажется, ток крови останавливается. Только бы не разрушить это чудо. Не спугнуть... «Странно. Очень странно...» Мозг пытается найти объяснение. Как — посреди неподвижного моря воздуха и песка — что-то может *естественным* образом *так* двигаться?.. Или *кто-то*?.. Но он же всё-таки ветер! Завихрения там, всякие «области давления», потоки...

Ещё пара мгновений — и миниатюрный смерчик, странное существо пустыни, скроется в песках...

«Эй!»

Всегда непроизвольный оклик, когда на бесконечных просторах вселенной встречаются двое незнакомых *живых*...

Пыльный столбик замирает и роняет бумажный клочок на землю. Ну вот, испугала...

«Не бойся...»

Одними глазами...

Вы смотрите друг на друга. Вечность переворачивается вверх дном...

Как будто что-то поняв, столбик пыли подхватывает оброненный лист и, сменив направление, начинает движение вокруг твоего бархана. Один круг, второй... Ты не шевелишься, а только медленно поворачиваешь голову, чтобы не терять его из вида.

«Ты откуда? ... Здесь живёшь? ... А куда? ... Поиграть? ... А-а... А я вот просто сижу... Потеряла кое-что... Теперь просто сижу. Отдыхаю...»

Смерчик вновь замирает. Клочок бумаги плавно колышется на уровне его «головы». Вдруг, как будто опомнившись, он резко меняет направление движения и исчезает за соседним гребнем...

Даже не попрощался...

Ну и что. У него дела. Да мало ли... Может, позвал кто-то... *из своих*...

Пыльный столбик вновь выныривает из-за бархана и останавливается.

Нет, не убежал!

Снова исчезает. И тут же через пару мгновений появляется... И так несколько раз. Что он делает?.. Белый клочок бумаги уже не плавно колышется, а нервно вздрагивает и подпрыгивает. Может, он чего-то хочет?.. Зовёт куда-то?.. Точно! Он зовёт за собой!

Быстро вскакиваешь, ещё не веря в то, что происходит, и, скатившись на ногах по песчаному склону, пробегаешь несколько метров. Смерчик уже далеко в стороне. Азарт омывает изнутри, и ты бежишь, бежишь, поддаваясь странной игре...

Вдруг что-то проносится прямо перед лицом. От неожиданности ты останавливаешься, как вкопанная, почти пугаясь.

Маленький вихрь вибрирует на месте в нескольких шагах от тебя. Обрывок бумажки неподвижно лежит на земле рядом с ним. В прозрачном текучем мареве, которое уже больше походит на воду, ни единого движения. И смерчик — этот невысокий столбик пыли, вращающийся вокруг своей оси, — создаёт ощущение законченной неподвижной формы.

«Что дальше?..»

Смерчик вдруг исчезает.

Просто прекращает кружение и рассыпается. Пыль медленно оседает на землю...

Ты подходишь к месту, где он только что был, наклоняешься — и не веришь своим глазам! Из-под бумажки выглядывает обрывок знакомой кожаной тесёмки... На ней крестик. Тусклый, медный, перехваченный узлом...

(... — Всё-таки нашла?

— Да. Он сам вернулся... Точнее... Как тебе сказать?.. В общем, он и не терялся.

— Не терялся?!

— Ну, я же говорила тебе, помнишь?.. Его, конечно, не было некоторое время со мной, но он не терялся, понимаешь?

— Не очень, если честно.

— По-вашему, ну, в смысле, *как обычно* — вещи теряются. А на самом деле — нет!

— Ты меня пугаешь.

— Пап, ты же ничего не боишься!

— Я не сказал, что боюсь. Я сказал «пугаешь». В хорошем смысле... Когда *взрослые* люди, вроде меня, произносят такие слова, они на самом деле хотят сказать, что заметили что-то, что им вроде бы по душе, но при этом чувствуют, что до конца им этого не понять и не принять. А это *пугает*. Просто такое подходящее слово...

— Ладно.

— Ну, так где ты его потеряла?

— В пустыне.

— Это немудрено. Но нашла-то ты его там как?

— Пап, если я тебе *просто расскажу*, ты подумаешь, что я всё выдумала. А если поверишь — это тебя *ТАК НАПУГАЕТ*!

— С каких это пор ты взялась надо мной издеваться, а?!

— Па-ап!

— Ладно. Не хочешь — не рассказывай. Нашла, и хорошо... И спасибо за ужин. Ещё тёплый был, когда мы приехали. Только записку оставляй в следующий раз, если собираешься задержаться...

— Я не собиралась.

— Тем более... Кстати, Макс тебя за шурпу хвалил, что за ним обычно не водится.

— И что сказал?

— Сказал, что ты разобралась, что к чему. По вкусу видно.

— Так ведь он меня и учил... А тебе как?

— Я такой голодный был, что, наверное, и сырого барана бы съел!

— Понятно... А Макс-то сам где?

— Лёха его в другой посёлок повёз. Они там переночуют. Сказал «по стратегическим вопросам».

— Это что значит?

— Сама у него завтра спросишь. Он утром заедет, и двигаем дальше. Здесь всё.

— А куда?

— Сначала в Джезказган ненадолго. Кстати, попаримся — там у геологов баня хорошая. А потом решим — на Балхаш рыбачить или сначала на Байконур заскочим — там Юрка сейчас... Не знаю. Посмотрим. Крюк приличный, конечно... Я бы лучше сайгаков погонял. А то мы на озере за неделю от рыбы очертенеем!

— Так мы туда на целую неделю?!

— Около того.

— Здорово!..)

Джезказган.

В бане тяжело. Даже на нижнем полке́.

Отец посмеивается: «Привыкай».

Зачем?..

Между заходами в парную все отдыхают на веранде, завернувшись в простыни. Разговаривают мало. Пьют зелёный чай.

Ты не хочешь больше париться. «Зря», — с лёгкой обидой бросает отец и уходит. Все уходят. Макс остаётся.

(... — Я тебя научу. Тут всё дело не в ощущениях, а в отношении. И не только в бане дело. Это общий принцип. Горькое, как правило, полезнее сладкого. Трудное — забавнее лёгкого. Недостижимое притягивает нас сильнее того, до чего рукой подать. Вот и баня — это труд. Очищение. И не только для тела, кстати.

— Мы и так паримся каждый день.

— Это верно. Но мы делаем это как бы вынужденно, неосознанно, понимаешь?.. Мы здесь. А здесь — жарко. И ничего не поделаешь... Нам жарко — но мы заняты делом. Но другим делом. Не самой жарой. Мы постоянно чем-то заняты. Поэтому когда появляется возможность...

— Нужно отдыхать! Я помню. Вы сами говорили, Владимир Максимович.

— Правильно. Но отдых-то бывает разным. Как и усталость. Бывает, человеку нужно отдохнуть — и он совершает кругосветное путешествие на шлюпке размером с чемодан. Все кричат, что он псих, и завидуют. А бывает, другому человеку нужно что-то сделать, а он ложится на диван с кипой журналов «Катера и яхты» и думает, чего это такая усталость навалилась. И все ходят на цыпочках и жалеют его...

— Но все всегда говорят, что идут в баню отдохнуть?..

— Слушай их больше! Только плебеи думают, что баня — это отдых. Пьют, балагурят — какой там отдых — в живых бы остаться! В жизни нет места отдыху. Прав был дедушка Ленин: лучший отдых — это смена деятельности. Запомни. Так что живи, борись, бросай вызов. Да хоть и себе самой, если больше некому. В тебе это есть, я вижу. Ни в малом, ни в большом не останавливайся. Всё стоит наших усилий... Даже осознанная жара! Поняла?.. Ну что, пойдём, потренируем сердечную мышцу созерцанием высоких температур наших сомнений?

— А она что, тренируется?

— Я же тебе сказал — нет ничего забавнее и полезнее трудного...)

Ночуем в степи.

Никто не хочет «париться» в домиках базы местной геологоразведки. Погода прекрасная. Ветер — тёплый шёлк, небо — бесконечный ситец звёзд...

Мужчины — каждый себе — выбирают «на глаз» места поуютнее, куда ставят раскладушки. Кидают на них сверху тонкую овечью кошму, чтобы равномерно свисала по краям, потом уже спальник. Всё. Готово. Ни тарантул, ни фаланга, ни скорпион не побеспокоят ночью. Инстинкт самосохранения держит их подальше от запаха овечьей шерсти. Тысячелетняя история миграций копытных прошила в геноме этих насекомых страх быть втоптанными в вечные пески.

Засыпая на крыше «шестьдесят шестого», ты видишь сквозь полусомкнутые веки только глубину за тюлем Млечного Пути. И мечтаешь — как было бы здорово полететь туда и найти что-то такое, что ни описать, ни предсказать, ни объяснить... Но не одной. А с тем, кто такой же, как ты. Кто полетит, не задумываясь... С Максом... «Нет ничего забавнее трудного...» Но и, похоже, — ничего труднее простого...

Тело, очистившееся в парной от въевшейся за несколько дней пыли, переизбытка солнечного ветра и впечатлений, не видит снов... До первого луча солнца.

Тогда оно вздрагивает и вспархивает, как мотылёк. Новое тело для нового дня. Дня, который, скорее всего, не закончится никогда...

В Байконур решили не ехать.

«Юрка — одержимый. Всё равно у него там вечные авралы... Не обидится...»

Так что к вечеру уже были на Балхаше. Заскочив по пути в Мирный — заправить баллоны газом, взять подробную — «секретную» — карту и кое-что из рыбацких снастей у каких-то знакомых Владимира Максимовича. (Интересно, есть место, где у него нет знакомых или друзей на этой земле? Или в этой галактике?..)

В какой-то момент «секретная» карта доводит всех почти до белого каления.

«Чайники! — кричит Макс, впрочем, без малейшей тени раздражения. — Вы и звезду «Плейбоя» в президиуме на съезде партии не идентифицируете! Имейте терпение, я вас в такое место привезу!»

И привозит.

Правда, уставший от дневного перегона Лёха влетает в солончак по самые оси... Но благодаря счастливому совпадению по соседству оказывается стоянка семьи кочевника-пастуха. Три верблюда в упряжке с опытным погонщиком, лопаты в крепких руках, наломанные и нарубленные ветки саксаула, твёрдые, как камень, — и через час «шестьдесят шестой» вновь на твёрдой почве.

«Слишком близко к дельте Или[1] забрали», — комментирует Макс и о чём-то недолго говорит с кочевником.

И ещё пара часов проходит в поисках идеальной прибрежной стоянки.

В какой-то момент Лёха, безропотно — в отличие от остальных — подчиняясь чётким указаниям штурмана Владимира Максимовича с его «секрет-

---
[1] Река, впадающая в Балхаш.

ной» картой, выруливая между очередной сопкой и крутым бугристым барханом, вдруг резко тормозит. Перед глазами открывается бесконечная, с лёгким намёком на желтинку, синева озера. Появления которого, судя по хмурым потным лицам, уже никто не ждал.

Все, кроме Лёхи, высыпают из машины и, крича и подтрунивая над собственной быстро прошедшей нервозностью, бросаются к берегу. Лёха медленно трогается и спускается ниже, на твёрдую площадку около скал.

Стоянка действительно идеальна. Справа — неглубокий мелководный залив, поросший у берега редким камышом и осокой. Слева — невысокие гранитные скалы с округлыми впадинами и крупными валунами у подножья. Площадка для лагеря большая и ровная — Лёха спокойно маневрирует на ней, соображая, какой борт на какую сторону поставить, чтобы удобнее было натянуть тент под кухню.

«Ну что, рыбаки хреновы! Не верили штурману, иуды?! Вот вам и мелководье, вот и омуты под скалами. Погода — как в садах Эдемских! Это Рай! Истинно говорю вам — это Рай!» — доносятся с воды крики Макса, уже далеко заплывшего...

«А знаете, как они верблюдов пасут?.. — уже вечером у костра рассказывает Макс, когда все вспоминают резкие каркающие окрики кочевника, вязавшего постромки к верблюжьей упряжи. — Весной выгоняют — осенью собирают. Носятся по пустыне плюс-минус километров двести — и собирают! Вот нам бы так...»

Что «нам бы так», уже ни у кого нет сил интересоваться.

Расположившись после ужина у костра с закипающим чайником, усталые, в мягкой эйфории от предвкушения завтрашней рыбалки, все любуются безмятежной панорамой величайшего единения. Воды, земли, небес и света. Само солнце уже недоступно взору из-за скал. Но чуть подальше от берега мелкая водная рябь искрится под его прозрачными вечерними лучами. А на верхушках утёсов игра света создаёт причудливый абрис, отражаясь не то от каких-то вкраплений гранита, не то от кристаллов соли, столетиями приносимых влажными ветрами с «солёной» половины этого чудесного озера.

Лёха не выдерживает и, забредя по колено в воду, бросает спиннинг. И уже через несколько минут, с горящими глазами, чертыхаясь и жестикулируя, как мальчишка, чистит у остывающего костра двух крупных судаков. Пока все остальные, разобрав раскладушки и спальники, смежают веки под тихие всплески, шуршание травы и далёкие, еле различимые слуху вздохи уходящего навсегда дня...

Утро не разочаровывает.

В нём смешиваются и поволжские августовские плёсы, и крымские полуденные блики. И только ветер — не тугой, но в меру плотный — присутствует везде постоянной незримой силой. Напоминая, что здесь — среди песков, скал и воды — ему нет равных.

Ты вскакиваешь с первыми проблесками, но выясняется, что тебя обставили. Неугомонный Лёха, с вечера попавшийся на удочку азарта, уже заблеснил трёх жерехов и теперь деловито, с напускной важностью орудует под тентом на кухне. Он нарочито громко бряцает мисками и котелками, за что заслуживает пару грубых, но не обидных для своих, реплик от отца — его раскладушка ближе всех к машине.

Из воды, фыркая и криком желая всем доброго утра, выбирается Макс. Оказывается, он встал ещё раньше и больше часа плавал.

За завтраком обсуждается план рыбалки. Решают не возиться с лодкой, а поставить тричетыре перемёта. Забросить со скал несколько донок в ямы — на сома — и поблеснить, разойдясь в разные стороны по берегу.

Для перемётов и донок необходим живец. Точнее, «нарезка». С помощью обычной удочки нужно наловить мелкой рыбёшки. Она потом пойдёт на наживку для хищных жерехов, судаков и сомов.

Тебя отсылают к заливу ловить «нарезку». «Нарезка» она — потому что тут не надо заботиться о том, чтобы «живец» был живым. «Тут рыба жадная! — объясняет Макс. — Ей что на крючок ни повесь — всё жрёт! Так что ты иди лови, а мы пока на первый перемёт одного Лёшкиного свеженького жереха оприходуем... Что глаза выпучил?! Да мы за одну твою рыбину тридцать не хуже возьмём! — смеётся над обидчивым Лёхой Макс. — Ты вот дома-то, поди, не всю картошку подметаешь со сметаной, а? На рассаду-то откладываешь?..»

Все заняты делом.

Мужчины вяжут снасть и насаживают на тройные крюки размером чуть не с твою ладонь полоски и куски нарезанного жереха в крупной зеркальной чешуе. Хвост, плавники, жабры — всё сгодится на наживку.

Ты забредаешь в залив немного в стороне от травы, ставишь рядом ведро, предварительно наполнив водой наполовину — чтобы не всплывало, — отщипываешь от горбушки белого в кармане, пережёвываешь, скатываешь шарик, насаживаешь и забрасываешь.

Клюёт хорошо. Минут через пятнадцать поверхность воды в ведре уже плотно забита тёмными спинками.

«Сколько ещё?!»

Тебе не терпится — тоже хочется поймать толстую лоснящуюся рыбину на спиннинг. Макс обещал научить.

«С полведра вынь и положь!»

Ладно. Это ж для общего дела. Обещали же на обратном пути ребятам в Мирный завезти — угостить.

Один Лёха, вон, бегает со спиннингом — глаза на лбу, вихры в разные стороны — и ничего не делает! Но Макс говорит: «Не трогайте водителя — в его руках наши жизни. Водитель на стоянке — Бог! И если он вдруг заленился и миску за собой не вымыл — ты уж, Принцесса, корону покрепче на тыкву натяни и поухаживай за боевым товарищем!» Так-то оно так, но...

Резкий шквал срывает с головы косынку.

По воде залива начинают бегать полоски серой ряби. Ещё через несколько минут клёв прекращается. Совсем.

Странно...

Ты оглядываешься по сторонам. Ветер явно покрепчал. На гребнях ближайших сопок поднимаются вьюны позёмки из пыли и песка. Но в целом

69

панорама не меняется: мужчины — кто на берегу, кто заводит перемёт, прежние блеск и сила солнца, чириканье каких-то мелких пичуг в камыше, шелест, небо пронзительное, слепящее, почти что белое от света.

Ещё пара минут... Клёва нет.

Выбираешься на берег, закидываешь удочку «на удачу» и садишься на горячий песок лицом к бесконечному озеру, спиной к сопкам. За которыми, невидимые глазу, тяжёлыми бугристыми валами стелются в сторону неуловимой линии горизонта древние пески Таукум[1]... И нетрудно почувствовать, как там — далеко за спиной — катятся и катятся, одна за одной и все вместе, мириады песчинок времени... И нетрудно увидеть, как под выбеленными небесами на поверхности озера мерцают сонмы отражений крупиц времени света...

...Вдруг происходит страшное.

Тело молниеносно взвивается, как сорвавшаяся со стопора пружина. И тут же, пригнувшись, замирает в нервной дрожи.

Так маленькие звери, почуяв опасность сразу отовсюду, испытывают молниеносный ужас, кото-

---

[1]   Песчаный массив в Средней Азии (Казахстан). Расположен в Балхаш-Алакольской котловине, к югу от озера Балхаш и реки Или.

70

рый инстинктом сразу преломляется в бесконечно обострённое зрение, нюх, слух — и у кого что есть, для того чтобы *немедленно знать* — *что* изменилось в этом огромном мире. В отличие от людей. У последних целостность инстинкта под давлением разума и эмоций мнётся, корёжится и в конце концов рассыпается, освобождая поле битвы панике.

Но ты — зверь.

Выгнувшись, как кошка, и чувствуя ментоловый холодок, волнами сбегающий по позвоночнику, начинаешь медленно поворачивать голову...

Всё на месте. И свет, и запахи, и... Что-то с движением... Какой-то странный театральный эффект... Несогласованность...

Нет звука!!!

Всё, что видят глаза, происходит в абсолютной тишине. Настолько полной, что ты начинаешь слышать, как *неприятно* трутся друг о друга песчинки времени. Ещё поворот головы — машина на площадке, из-за кабины выходит отец. Он беззвучно смеётся. Ещё... Скалы. В подножье у воды — Макс полощет руки. Ещё...

Нет! Стоп!

Краем глаза... даже скорее краем чувства — ты улавливаешь что-то за гребнем ближайшей соп-

71

ки. Что-то явно присутствующее, собранное, давящее, но не проявляющее себя до поры...

Резко поворачиваешься и уже воочию видишь, как контур гребня вздрагивает, по нему пробегают волны и что-то, ещё секунду назад таившееся за ярким ситцем беззаботного пейзажа, вдруг вырывается на свободу...

Удар шквального ветра приносит с собой звуки со всей Земли.

После второго удара ведро с «нарезкой» кубарем летит на песок, сбитое тобой при первом броске в сторону стоянки.

На втором броске ты с отчётливым ужасом понимаешь, что мужчины, занятые своими делами, не видят, как над сопками поднимается во всё ещё беззаботные небеса бурая непроницаемая стена...

Как в удушливом детском сне, ты кричишь, но звуки комкаются в гортани. Разорвавшаяся какофонией Вселенная не в силах вместить в себя ещё один крик, ещё один зов...

Ужас бессилия подкашивает ноги — ты падаешь...

«В машину!!! Быстрее!»

Чья-то рука жёстко сдавливает шею под затылком. Другая — левую руку под локтём...

Это Макс.

Рывок. И вы несётесь сквозь нарастающий каждое мгновение вибрирующий гул. Ещё рывок — борт «шестьдесят шестого». В последний момент у машины глаза успевают сфотографировать опрокидывающуюся на залив со стороны сопок огромную волну цунами, сплетённую из тысячи тысяч пыльных вихрей. Тьма охватывает всё вокруг. Гул превращается в рёв, а вибрация в пронзительный свист...

«Шестьдесят шестой» несётся, не разбирая дороги, через степь...

Неужели пришлось бросить вещи?! А Лёха?! Каково ему там — один на один с восставшей пустыней?! Это же опасно! Опасно для всех...

Что-то накрывает тебя сверху... Одеяло? Зачем?..

«Заматывайся с головой!»

Ладно. Наверное, Макс думает, что это смягчит удар, если...

«Ну что, испугалась?..»

Странно слышать его голос так близко. Зачем он залез под одеяло, тоже боится?..

«Не бойся! Не так страшен чёрт!»

Машину болтает из стороны в сторону. Под одеялом душно. Макс говорит что-то о везении и что всегда надо быть готовым к чему угодно...

К чему?.. И кому может быть угодно, чтобы милая Земля — дом для всего живого — вдруг разверзла хищную пасть и вытрясла из этого живого всю душу?..

В чём же везение?..

«Первый раз в этих землях — и сразу такое!» — кричит, как будто отвечая на твои мысли, Макс. Но его голос сливается с окружающим гулом...

Неужели такое действительно может произойти в любой момент?!.

Переходишь, например, через дорогу к лотку с мороженым — хочется фруктового за семь копеек, — и вдруг асфальт под ногами вздыбливается, трещит и разверзается паутиной бездонных трещин, поглощая и тебя, и мороженщика с его колдовским льдом, и всех-всех, затягивая, уволакивая в чужое... Туда, где невозможно жить...

Или ветер... Вдруг он просто от вечной скуки решит собраться со всеми силами и дунуть. Дунуть так, чтобы развеять тоску на всей Планете. Дунуть, не поразмыслив о том, что его новая радость жизни сметёт города и леса, раскрошит горы и засыплет ими красивые равнины рек. А волны океанов и морей обретут такую немыслимую силу, что, как горсть сухих листьев, подбросят и перемешают между собой обломки островов и континентов...

Ты пытаешься представить, как за какие-то секунды мир превращается в круговерть цунами и смерчей, месиво из песка, воды и того, что только что было: не купленным ещё тобой мороженым; Максом; отцом; первым лучом солнца, забирающимся под капюшон спальника; космическим кораблём и неизвестными планетами; кусочком лаваша с брынзой, ломтиком помидора и листиком базилика; телом, ломящимся от усталости дома в постели; матерью, приносящей тебе изюм и сладкий чай с молоком, когда ты болеешь... Жизнью. Плохой ли, хорошей, но *жизнью*... В которой, как само собой разумеющееся, есть место для «только что», «сейчас» или «подождите минуточку». Ты видишь, сквозь туман, как, стоя в пятидесяти метрах от «шестьдесят шестого», на оклик отца поторопиться ты отвечаешь: «Подожди минуточку, я сейчас», не зная, что у мира другие планы и минуточки для тебя у него уже нет. И нет ни для кого. Ни минуточки, ни времени вообще...

Машина вдруг резко останавливается. Но как-то странно. Без характерного толчка вперёд.

«Всё!»

Что всё?

Одеяло слетает — из-под тента пробивается свет.

Макс.

Смеётся.

Клубы пыли. Режет глаза. Ты вдыхаешь полной грудью — и тут же заходишься в кашле и чихаешь.

«Всё, всё! Давай наружу, мигом! А то нас потом на цементный завод сдадут, как сырьё!»

Вслед за Максом переваливаешься через борт наружу. Он подхватывает тебя под мышки и ставит на ноги.

Как же так?.. Ехали-ехали целый час — и вернулись на стоянку?!.

«Как доктор прописал — три минуты сорок секунд!»

Что три минуты сорок секунд?..

Или это всё-таки другое место, просто похожее?..

Залив похож. Но воды в нём нет. Скалы вроде те же... Но больше...

А это что? Мы мягко врезались в бархан?!

Там, где были тент и кухня, теперь гора песка чуть не до крыши...

До сумерек все раскапывают кухню, встряхивают вещи и спальники от песка и пыли, перебирают продукты, снасти и моют, моют, моют... Кое-что найти так и не удаётся.

А залив действительно исчез. Вода в средней части берега — между заливом и скалами — отступила на добрый десяток метров. Этого хватило, чтобы мелководье обнажило дно, а скалы — «выросли».

Уже под вечер, побросав с полчаса спиннинг, вернулся с пустыми руками расстроенный Лёха:

— Рыба ушла.

— Мы на южной оконечности. От нас озеро длинное, узкое и мелководное. Позади пески... Буря сработала, как поршень. Вроде быстро, но силища... Сами видели!

— Клёв-то будет, Владимир Максимович?

— Дорогой мой, рыба никуда не убежит. За всё надо платить. В каком ещё местечковом театре ты репетицию апокалипсиса воочию узришь, а?.. Ба! Смотрите! Сегодня ж ещё и полнолуние!

— Ну вот! А по рыбацкому календарю...

— Да вернётся! И вода, и рыба с ней. Тут свои календари. Скажи спасибо, что не в песках стояли.

Вот там наверняка был полный штопор. Дня два откапывались бы... А вода... Что вода? Субстанция, послушная ветрам и Луне... Кстати, донки бы лучше проверил. Забыл, да? Сомы, они, знаешь ли, тихоходы — пока допетрят, что к чему, — уж и сматываться поздно. Так что, может, один-другой и висит, если не оборвало...

(... — А почему тогда звук пропал?

— Ты на самолётах летала?

— Пару раз.

— Ну и как?

— Да с левым ухом чего-то. Болит потом, и полуглухая хожу целый день.

— Это всё давление. Есть сильно чувствительные к этому делу люди. Секунда-другая резкого перепада, — а у них чуть ли не паническая атака. Ты — хрупкий device, береги себя!

— Спасибо, Владимир Максимович...

— Ты меня что, уже в дальние престарелые родственники записала?

— Нет... Макс. Извини.

— Так за что же спасибо?

— Ну... Что...

— Я просто ближе всех был. Это закон — действует тот, у кого больше шансов, запомни. И на отца не сердись — когда началось, я ему дал понять, что подберу тебя.

— Да я...

— Никогда не спорь с престарелыми родственниками. И никогда не оправдывайся! Ни перед кем! Ты — Принцесса! Тебе по штатному вселенскому расписанию не положено. А люди... Что люди? Далеко не у всех скорости реакций такие, как у ветра или... у принцесс, например! И не все они пластичные и текучие, как...

— Как что?

— Ну, хотя бы, как та же...)

вода

Тебе уже пятнадцать.

После долгих среднеазиатских каникул, быстротечного подмосковного бабьего лета, жёсткой, сухопарой и грязной московской зимы и обманчивой во многих отношениях весны вернуться на новый сезон в Крым — это вернуться домой.

Ты так ждала, что праздник повторится. И Владимир Максимович увидит, как ты похорошела. Непривычно окрепшая грудь скромно заставила сменить вечную футболку на свободную рубашку. Новая причёска. И мама не поехала — какие-то неотложные дела на работе...

(... — А Макс когда приедет?

— Что, соскучилась?

— Да нет...

— Сказал, попробует, но вряд ли.

— Жаль...

— Может, вечером шариком постучим? В беседках на набережной новые столы...

— Неохота.

— А что охота?

— Не знаю.

— Не нравится мне твоё настроение...

— Настроение как настроение.

— Море-то, я надеюсь, не отменяется, коль уж всего остального неохота?

— А куда завтра?

— Думал, в залив к скалам... Ну, там, где обвал был в восемьдесят втором?..

— Мама же нам запретила. «Берегитесь осыпей и камнепадов», помнишь?

— Ну мама, мама... Её же здесь нет... Так пойдём?

— А кто ещё с нами?

— Ты же знаешь. Мы да Мишка с Серёгой — больше из наших никого на посёлке нет.

— Знаю...

— Ну и?

— А поныряешь со мной?

— Посмотрим...)

Всё как обычно — они взяли с собой пятилитровую канистру вина, сыр, фрукты и сели играть в преф.

Для стоянки место, правда, не очень. Узкая полоска берега. Народ весь день по тропе шастает. Дальше идут — там есть песчаные бухточки. А тут крупная галька да валуны. Семейные — они капризные. Сами едут за тридевять земель — отдохнуть. А потом выясняется, что Москву с собой забыли захватить. С асфальтовыми тротуарами, ступеньками, лифтами... А тут — в море без вывихов и ушибов не зайти!

Над узкой полоской берега сыпучие отроги круто уходят вверх. Лучше уж в море болтаться. А то не ровён час действительно по голове булыжником каким-нибудь получишь. Зато сам залив... Глубоководный. Со множеством гротов, пещер и расщелин. Особенно после памятного обвала 1982-го. И крабов всегда есть где разыскать. И «поля» рапанов на вполне доступной глубине. Есть чем заняться и из чего выбирать...

«Мидий, может, надерёшь? Всё равно весь день бултыхаешься. Вечером пожарим...»

Чёрт бы их всех подрал! Был бы Макс...

Хотя... Мидии ты любишь. Даже неизвестно, что больше — собирать, готовить или есть. Когда отколупываешь их от камня «круглым» ножом, давным-давно ещё свистнутым в местной столовке... Нет, нет. Не так. Сначала, обнаружив колонию, проводишь рукой, выбирая те, что покрупней. Они такие ладные. Как капсулы космических кораблей будущего, что так любят иллюстраторы «Искателя»[1]. Лежат в ладони, как огромные тусклые миндалины...

У местных свои насиженные места. А ты любишь новые, «дикие». Чтобы потрудиться на славу. Может, поэтому раковины потом и отдают весь свой вкус сполна — что по-походному зажаренные в костре на ржавом куске железа, что «со всеми почестями» — отваренные, почищенные, а потом утомлённые на сковороде с лучком и поданные со сметаной или в масле с розовыми помидорами.

Поэтому приходится много нырять, обшаривая бока огромных камней и подводных утёсов в поисках достойных колоний.

Залив глубокий. Дно обрывистое. С первого мелководного яруса глубина резко падает метров до восьми-девяти. А со второго — до двенадцати-пятнадцати. Ты можешь осилить и двенадцать. Но мало совсем остаётся времени на поиски. Так что оптимально — на первом. Но он сильнее всего загромождён после того обвала в 82-м. Множество ходов, гротов, расщелин. Сколько ты их уже здесь исследовала, а даже топография в единую картину до сих пор не складывается.

---

[1] «Искатель» — литературный журнал. Жанровая специализация — детектив, фантастика, приключения. Был основан в 1961 г. как приложение к журналу «Вокруг света».

Нож и пара полиэтиленовых пакетов.

Когда один наполняется, оставляешь его на дне на видном месте.

Сегодня везёт — колонии небольшие, зато экземпляры крупные. Оба пакета забиты так, что ручки еле сходятся. Азарт есть азарт! Оставив оба мешка на дне вместе с ножом, ты отдыхаешь — греешься и нежишься под солнцем на выступающей из воды скале. Необъятные в опаловой дымке глубины, порой пугающие тенями нависающих склонов, эти же скалы — уютные и домашние над водой, в сочно-зелёной кайме мягких водорослей.

Нервозность и меланхолия проходят.

Ты уже давно заметила, что, оставаясь один на один с горами или с морем, ты быстро избавляешься от того, что приносят в жизнь люди. Их разговоры, планы, ссоры, проблемы... Почти все. Кроме разве что самых близких, *своих*... Вот от Макса не надо «отмываться» в *естественной* среде. И от отца раньше не надо было... Мать — не в счёт. Она как скала — всегда на *своём* месте. Для человеческой жизни что-то непреодолимое, незыблемое...

Пора назад.

Ныряешь, подхватываешь пакеты, нож — и несколькими синхронными гребками ласт выносишься на поверхность. Ещё несколько — уже спокойных поочерёдных взмахов и... Как подводная лодка, медленно — под острым углом — идёшь на погружение. Вот, блин, ёлки зелёные! Перегруз. Ещё попытка — эффект тот же. Пакеты слишком тяжелы. Всё жадность. Так ведь не оторваться же!

Приходится нырнуть и оставить половину поклажи на дне. Бросить с высоты — пакет может разъехаться. Мельком при погружении в придонной расщелине замечаешь краба. Крупный. Никуда не денется. В полдень они ленивые.

Рядом с пакетом оставляешь и нож — для ориентира. Он блестящий — хорошо виден.

Одна ходка. Вторая...

«Ты там не окоченела ещё?»

Можно даже не отвечать. В определённом состоянии сознания у мужчин все вопросы риторические.

Тебе не хочется сидеть на берегу. Поэтому, прихватив пару персиков, ты возвращаешься в залив. Где, примостившись на вершине одного из «айсбергов» метрах в ста от берега, отдыхаешь. Сладкая мякоть, приправленная солоноватым морем, не утоляет жажды, но придаёт сил. Надо нырнуть и забрать нож. Заглянуть в грот, и если краб на месте...

Кто бы там что ни говорил, а подводное царство совсем другое, когда ты в нём, а не смотришь на него через стекло маски с поверхности. Первый «прокол» глубины выполняется чисто технически. Ещё лет пять назад тебя научили этому местные ребята — вечные пажи. Для них крабы и раковины рапана — источник заработка. «Сувенирщики» в сезон не жадничают. Да и бесплатная еда. А кому уже и закуска. Социальные аспекты биогеоценоза. Да уж... Так вот. Техника простая. Руки по швам. Чуть набрав ходу на поверхности, плавно сгибаешься в пояснице, и метра три первой глубины тело проходит по инерции, без лишних движений. Это важно. Каждое движение поедает дефицитный кислород.

Глубина ещё смешная, но чувствуешь, что беззаботности в ней уже нет места. Она остаётся там — среди ярких бликов, резких теней и плеска волн.

Синхронный взмах ластами — ещё пара метров. Продуваешься[1]. Шелест придонного песка и перестук камней далёкой линии прибоя — как будто рядом. Опаловые тени темнеют, обретают плоть. Солнечный свет — уютный и горячий наверху — превращается просто в дымчатый фон для сизых фраков подводных утёсов и холодных струй местных течений. Ещё несколько взмахов ластами. Оборачиваешься. Переливающаяся оттенками бирюзы и малахита толща зачаровывает...

---

[1] Приём, уравновешивающий давление.

Расщелина сбоку. Нож — ориентир — поблёскивает на песке чуть в стороне. Ещё раз продуваешься и касаешься ладонями дна. Перевернувшись на спину, секунду созерцаешь «небо» поверхности. Лучи солнца, рассеянные девятиметровой призмой воды, распадаются сначала на небольшие яркие пятна, а затем и они тают и осыпаются искрящейся пылью на рябой песок.

Расщелина у самого дна. Длинная, узкая. В глубине её тени мелькает сочно-оранжевым перламутром пустая раковина рапана. Прямо за ней — краб. Действительно крупный. Никак не дотянуться снаружи. До него, наверное, метра два. А то и два с половиной.

На оценку ситуации уходит время. А с ним кислород. Лёгкие начинает сдавливать. Надо возвращаться.

Несколько мощных синхронных гребков, имитация сглатывания, чтобы сбалансировать давление, — и ты вновь среди яркой игры бликов, мелких брызг и панорамы беззаботного берега, где отец с ребятами играет в карты под натянутой на нескольких кольях белой простынёй...

Два совершенно разных мира. Один — подводный — с приглушёнными, но объёмными звуками, плотными тенями и неясной перспективой. По ощущениям — во всех смыслах этого слова. И другой — блистательный, галдящий, с раз и навсегда очерченными правилами.

Отдышавшись и передохнув с минуту, ты снова погружаешься. Теперь уже сразу к цели. Нельзя отвлекаться и терять время. Там, на дне, его будет от силы секунд двадцать.

Вот и расщелина.

Ещё у́же, чем казалась со стороны. Трубка цепляется за каменные своды. Ты аккуратно вытаскиваешь её, чтобы в маску не попала вода, и протискиваешься вперёд. Своды ещё немного сужаются. До краба около метра. Даже если вытянуть правую руку с трубкой. Видно, что трещина уходит дальше, искривляясь. Но там темнота. Наверное, тупик.

Своды плотно прижимаются к бокам, касаясь лопаток. Ты уже с усилием протискиваешься, стараясь минимизировать мышечное напряжение, чтобы экономить кислород. Совсем немного... Чёрт! Плечи и лопатки упираются в камень — и никак не вывернуться. Осталось-то каких-то двадцать-тридцать сантиметров... Краб вжимается в угол и растопыривает клешни в готовности обороняться.

Нет. Лучше вернуться. Запас воздуха в лёгких на исходе. Ты уже обманываешь организм, делая короткие малюсенькие выдохи. Взять на берегу длинную палку, а ещё лучше проволоку и вернуться.

Расслабляешься и, ладонью вытянутой правой руки упёршись в дно, даёшь задний ход. Тут же что-то больно впивается в левую лопатку. Чуть поведя плечом, повторяешь движение. Уткнувшись в острый край камня, кожа на спине — теперь ближе к правой лопатке — собирается и посылает импульс боли. Да что же такое! Левой — отведённой назад — рукой пытаешься ощупать стену на предмет неровностей. Неудобно. Чуть выворачиваясь, цепляешь маской каменный свод. Та тут же наполовину заполняется водой. Чёрт! Теперь и голову не повернёшь — глаза зальёт. Резкое непроизвольное движение правой руки к маске взбаламучивает песок. Теперь вообще ни черта не видно! Подвернув под себя плечо, ладонью правой руки быстро проводишь по своду назад и обратно... Вот в чём дело! Такие «по ходу» гладкие стены в обратном направлении представляют собой рваную поверхность каменных граней. Как ножовка с направленным зубом. Свежие сколы недавнего обвала.

Даже мимолётная мысль о том, что ты можешь не выбраться отсюда, раскалывает мир пополам. Жалость пронзает сердце до самых пяток. Сначала к тёплым солоноватым персикам, потом к ветру, наполненному запахами костра и жарящихся мидий, потом... потом... безраздельно. Ко всему. Всё...

Паника.

Жгутом выкручивает мышцы. Ты резким мощным движением пытаешься вытолкнуть себя из острозубого каменного капкана. Кажется, тело подаётся на какие-то сантиметры, но... боль! Безумная боль в плечах, спине, бёдрах... Последние пузыри воздуха вырываются из лёгких. Грудную клетку сдавливает первый спазм... Панический ужас волнами прокатывается по телу. Всё. Ещё волна. Всё. Ещё...

Последнее, что ты видишь сквозь тёмно-бурую муть с обрывками водорослей, — это что-то тускло светящееся голубым в том месте, где сидел краб. Что-то похожее на...

И всё.
Ничего...»

Глава вторая:
Смерть

*Всякая фантазия лишь утверждает
реальность.*

— Ты что, ужинать не будешь? — отец заглядывает в комнату.

На берегу познакомились с Мариной — вроде
аспиранткой МИФИ — и пригласили её в гости. Теперь вся компания, оживлённая, заседает у нас с
отцом на террасе, с вином и мидиями.

— Лика! Ну, ты что... Мидий таких классных
насобирала, я всё приготовил... Нормально себя
чувствуешь? — сегодня у отца компанейский дух
явно перехлёстывает через край.

Мужчины — они такие мужчины. Даже если лучшие из них — ваши отцы.

— Нормально, па. Просто сегодня немного переусердствовала. Устала. Тело как по швам разъезжается. Я вам всю эйфорию перебью своей кислой миной. И ты будешь... расстраиваться, — хотелось сказать «злиться», но если хочешь от кого-то избавиться — стели мягко. — Я почитаю немного и баиньки, ладно? А мидий ты мне отложи на завтрак — утром с удовольствием поем. Только обязательно отложи, а то знаю я вас!

Ушёл.
Тьфу, тьфу, тьфу!
Индульгенция выписана. Никто не обижен. Теперь они будут всю ночь распушать хвосты, учитывая присутствие новой пары юных девичьих глаз и свободных ушей. А мне надо разобраться вот с этим:

«... Но так же, как когда-то из ничего появилось что-то, так, открыв глаза, ты обнаруживаешь маску, наполовину заполненную водой, сдавленные без воздуха лёгкие, голубоватый металлический шар размером с апельсин под рукой и... полное отсутствие панического ужаса. Как его и не бывало.

Память подсказывает, что ещё мгновение назад всё было иначе. Но мозг моментально включает аналитическую функцию. Удивляться будешь потом, а сейчас надо выбираться...

Назад нельзя. Никак. Капкан остроугольных сводов вызывает дикую боль при попытке двинуться. Не рвать же себя на куски! Ещё сознание, не дай бог, потеряешь... А что же это тогда было?.. Ладно. Сейчас не важно. Нельзя назад — значит, вперёд. Но там же тупик?! А откуда ты знаешь?.. Вперёд — значит, вперёд. Трубку и шар пока бросить. Потом, если что... И маску беречь. Ещё одно неловкое движение... И так ни черта не видно в этой мути.

Вперёд легче. Вот ладонь упирается в стену. Неужели тупик? А наверх?.. Да. Есть карман. И дальше, дальше... Не может быть! Или показалось?!. Да нет! Вроде блик... Будто откуда-то сверху, сквозь муть песка и водорослей... Расщелина витиевато, как по лекалу, ныряет куда-то наискосок вверх, потом вправо, ещё... Точно — свет! Маска всё-таки цепляется за выступ и почти полностью заполняется водой. Но уже не важно! Всё! Ещё пара движений, и вот в открывшемся проёме — бирюзовый пласт воды. Муть рассеивается. Господи, дай немного сил! Грудную клетку сводит уже почти до конвульсий... Потерять сознание здесь было бы так глупо... Ласты синхронно взрезают глубину слой за слоем с такой мощью, с такой жаждой жизни, что вмиг доносят до солнца, волн и воздуха... Ты почти по пояс вылетаешь из воды. Вдох, похожий на рык динозавра, оглушает собственные барабанные перепонки. Ты ещё успеваешь краем глаза заметить какое-то движение слева, делаешь несколько гребков по направлению к выступающей из воды вершине подводной скалы, втягиваешь на неё измотанное тело, распластываешься и... сознание выключается. Но не так, как ТАМ. Просто. Как будто дело сделано и больше нет необходимости что-либо контролировать...»

Так и было.

Сознание вернулось, когда кто-то тряс меня за плечи. Оказывается, вылетев из воды, как ихтиозавр, в пене и с нечеловеческим рыком, я чуть не до безумия напугала какую-то женщину. Есть такие любительницы — покайфовать на матрасе вдали от берега, мужей, детей и всего прочего, с книгой. Бывают же совпадения! Надеюсь, она не «Челюсти»[1] в этот момент читала, а то знаете ли... После такого всю оставшуюся жизнь сердечко пошаливать будет.

---

[1] «Челюсти», Питер Бенчли, 1974 г.

От тётки той с матрасом отболталась. До берега доплыла. Серёга с Мишкой барышне какой-то тент помогают ставить. Той самой Марине — аспирантке МИФИ. Тоже мне — кляча! Места, что ли, мало, как не под боком у трёх симпатичных мужчин? Отец на рынок пошёл — вино у них заканчивается. Кто бы сомневался...

Ладно. Нашла кусок проволоки у чьей-то старой жаровни — и обратно. Трубку-то надо забрать. И нож. Ну, и шар этот странный. Откуда он там взялся?..

Вернулась. Отца ещё нет. «Кляча» уже под нашей простынёй воркует.

Перебросилась с ними парой фраз из серии «как дела? — да потому что!». Взяла полотенце и устроилась чуть в стороне за камнями — находку рассмотреть.

Шар как шар. Металлический, слегка шершавый. Размером с апельсин и по весу такой же — может, чуть легче. Ни швов, ничего. Протёрла насухо... Нет. Есть маленькое отверстие. Аккуратное. Миллиметр, может, два. Соломинкой потыкала туда — не идёт. Ну и ладно. Путь полежит пока...

Не хотелось думать о том, что случилось. Но из всего, что происходило за последние несколько дней, — это было самое-самое. Так что мысли автоматически возвращались к пережитому.

Страха нет. Но его и там, на дне, уже не было. Какое-то смутное воспоминание об ужасе, безумной панике. Но как не со мной. Одно только странно... шар. Вроде бы я его там не видела. Хотя... Разве теперь скажешь наверняка? И эта отключка... Понятно. В смысле, то, что она случилась. А вот «включение» обратно... Да ещё явно в изменённом состоянии сознания? Почему?.. С другой стороны — чего только в жизни не бывает!.. Отец вон рассказывал: их приятель институтский — жизнерадостный парень, балагур, душа компании — вдруг бах! — рак. Да ещё такой, что и не выкарабкаться уже. Обследовали — «низкодифференцированный, с метастазами в жизненно важные органы». Шепнули на ушко, мол, парень, извини, месяца три, может, четыре от силы... Он побродил-побродил с недельку и пропал. Совсем. Ни ответа, ни привета. Все в непонятках, родня в панике... Искали — не нашли. Но доктора́-то сказали — три месяца. Так что годик прошёл, и успокоились. А ещё четыре спустя письмо приходит. Вежливое такое, спокойное... Но смысл прямой, жёсткий. Типа, маета ваша жизнь. Бардак и суета сует. А болячки все ваши в головах. Ну, и дай вам бог здоровья, разумеется. Живой. Ни рака, ни соплей даже. То ли егерем где-то, то ли на сплаве... Так что... жива, и слава богу. Повезло. И урок хороший на будущее — в азарт не впадать и тысячу раз проверять, прежде чем лезть. Природамать — та ещё штучка. Накуролесит, замаскирует, а ты потом выбирайся из её ловушек. А если бы там, в расщелине, в самом деле тупик?.. Это теперь не страшно. Подумаешь, ещё одна «отключка». Правда, уже без «включения», но... всё равно не страшно.

Шар вот только этот... Вещь заметная. *Слишком* правильная форма. В природе не бывает *настолько* правильных форм. Если он там был, как я могла его не увидеть?..

Что же ты такое?

Снова взяла в руки и поднесла ближе к глазам...

Конечно. Человек — вершина эволюции! Что от него ещё ждать. Если в отверстие не получается что-нибудь засунуть, значит, в него нужно заглянуть. Логично. За тысячи лет истории люди больше ничего не научились делать с отверстиями!

Как только шар оказался у глаз, внутри его что-то стрекотнуло, и он разлетелся на две половинки. Я аж отпрянула, тут же покрывшись холодком мурашек.

На полотенце валялись две полые полусферы, шар поменьше и что-то похожее на свиток. Ага... «матрёшка»!

Шар поменьше был точно такой же. И с таким же отверстием... Ну уж нет! Не так сразу. А вот свёрток... Просто бумажный свёрток. Весь исписанный... Или не бумажный... Пластик, что ли?.. Непонятно. Разворачиваю, а там: «Ну, здравствуй...»

Отец пошёл по берегу меня искать — еле успела сунуть всё под полотенце. Всех разрывали «грандиозные» планы, так что пришлось прервать чтение и набраться терпения до вечера...

Да что же это такое всё, чёрт возьми?!

Что-то я не припомню, чтобы сама себе письма писала, в железные шары упаковывала и под руку подбрасывала! Да ещё в столь, мягко говоря, критических обстоятельствах...

«...Твой дух не совладал. Никто бы не совладал. Очередная глупая случайная смерть. Мало ли таких каждую минуту на Планете...»

При чём тут смерть? Я что, умерла там?!

Нет, нет. Раньше... А, вот:

«Ты *должна* была умереть там. То есть не должна была *раньше*... Но после ряда событий... В общем, ты *могла* там умереть. Но смерть... Сейчас ты не поймёшь. Наберись терпения. Я всё потом разъясню. Если ты, конечно, решишься. Шар просто забрал там у тебя *это* время. И сейчас оно хранится внутри маленького шара вместе с последующими объяснениями. Но понять и принять их ты сможешь, только вернув себе хранящееся внутри шара время. Прости, больше я пока ничего объяснить не могу. Датчик настроен на сетчатку твоего глаза. Это был самый простой способ избежать случайности. Это не опасно, но навсегда изменит твою жизнь... Впрочем... Она и так уже давно изменилась. Вспомни хотя бы *птиц*...»

На террасе раздаётся дружный гогот. Солирует аспирантка МИФИ.

Ничего не понимаю!

«Вспомни хотя бы птиц...» Очень мудро! Я бы вспомнила, если б помнила...

Ладно — это позже... Поразмыслим логически. Первое:

«Шар там забрал *это* время...» Какое время? Всё моё время было при мне. Кроме отключки...

Но это же секунда-другая. Вкл/выкл. Какое там время... Физику-то никто не отменял. Находись я там без сознания больше — и ничто на свете меня бы уже обратно не включило!

Второе:

Всё, что я прочитала... могла написать только я! Это настолько очевидно, что нечего и рассуждать. Может, конечно, не так красиво... Но никто на свете, кроме меня, не мог знать, ЧТО Я ДУМАЮ И ЧУВСТВУЮ!

И третье:

Я ни черта не смыслю в металлических шарах-«матрёшках» и секретных замках, реагирующих на сетчатку чьего-то глаза... Да я об их существовании только сегодня узнала!

Вот такие противоречивые условия задачи. И при них вопрос:

Должна ли я решиться открыть очередную «матрёшку»?

Ответ:

Хм...

С вероятностью сто процентов ясно, что другого пути получить разъяснения нет.

А если плюнуть на всё и забыть?.. Тоже решение.

Не-ет. Так себя разочаровать. Да ещё на всю оставшуюся жизнь.

Тогда решиться?..

... — О-о! А вот и наша добытчица! Надеюсь, не звон бокалов звонкий поднял вас с ложа, принцесса, а исключительно и только добрая воля присоединиться к компании высокородных особ? — Мишка был в ударе. Я бы даже сказала, в двух шагах от угара. Он явно положил глаз на Марину, и теперь его самого с трудом было видно из-за распушённого в брачном танце павлиньего хвоста.

— Исключительно и только добрая воля, — сразу смилостивилась я.

Избивать пьяниц и стариков — это моветон.

— Бокал юного прохладного вина с южного склона вашего виноградника, патриций, был бы сейчас весьма кстати моему разгорячённому дневным солнцем и утомлённому духотой ночи телу...

Видимо, выражение «разгорячённое тело» вызвало несколько неадекватную реакцию у пьяненького «патриция». Со вздохом, похожим на стон, он уронил голову на пышный бюст мифички и глупо захихикал.

— Всё в порядке? — отец проявил дежурную озабоченность.

— Да. Просто захотелось немного посидеть с вами.

— Поешь?

— Нет. Разве что попробую, как ты приготовил... У-у. Вкусно. А теперь поделитесь с дамой бухлом, если не жалко, — я намеренно сменила тон, чтобы вернуть слегка ошарашенную моим внезапным появлением компанию в привычное русло. И тут же, чтобы упредить реплику отца, но обращаясь ко всем:

— И не делайте, пожалуйста, удивление из ваших лиц. Это смахивает на ханжество. Принцессе всё можно. И уж тем более можно то, в чём никто при дворе себя не ограничивает.

— Бокал вина принцессе! — тут же заорал Мишка, отлипая от бюста явно смущённого юного физика.

Отец только хмыкнул. Серёга с полным ртом наклонился к Марине и что-то пробурчал ей в ухо. По хищному выражению глаз было понятно, что он ещё не потерял надежду лицезреть соперника валяющимся под столом, чтобы тут же занять его место.

— Ладно, физики-лирики и математики-харизматики, — сказала я, отхлебнув немного молодого белого. — Ответьте мне на один не дающий в ночи покоя вопрос... — Я сделала паузу и продолжила: — Есть ли в сегодняшней науке хоть одно достойное обоснование феномену «сворачивания» времени... или как там все эти парадоксы, связанные с «провалами», называются?

— Ни хрена себе! — поперхнулся Серёга. — Какие вопросы принцессам по ночам спать не дают... Слышь, Борь (так зовут моего отца), я начинаю подозревать, что воспитание детей — штука небезопасная... В сравнении с процессом их производства, разумеется. — Последнее явно было нацелено на Марину. Мол, холост, анамнезом в виде парочки спиногрызов не отягощён, так что шерше ля фам, как говорится.

Но мифичка намёк явно не оценила или намеренно пропустила, решив, что пришла пора тоже слегка подраспушить перья. А то как бы её за дешёвку тут не приняли!

— Знаете, Лика, — чопорно начала она, — для того чтобы иметь возможность рассуждать о феноменах чего бы то ни было, необходимо как минимум свободно оперировать базовыми понятиями рассматриваемого предмета или области знаний...

— Ну, пипец! — провыл в ответ Мишка. Надо заметить, что на момент произнесения данной реплики один глаз у него уже был стеклянный, а второй — безумный.

— Что касается времени, — продолжила мифичка, никак не реагируя на Мишкин возглас, — то этих понятий немного. И если пара минут будет потрачена на их разъяснения, надеюсь, это никого не приведёт в состояние умственно-физиологической патологии, более известное как «сон на похмельную голову». Зато юная леди станет обладательницей лучшего снотворного на свете — возможностью мыслить теоретически. — Она изо всех сил старалась соответствовать избранному тону беседы, и надо отдать должное, несмотря на компанию хоть и интеллигентных, но весьма подвыпивших мужчин, у неё это неплохо получалось.

— Браво! — прокомментировал Серёга с лёгким оттенком лести.

— То есть если возражений нет...

— Что вы, Марина! Не только нет возражений, но есть очень горячее желание. Предвижу интересное обсуждение, — в тоне отца, наравне с извечной долей менторства, явно проскакивало шуршание перьев из павлиньего хвоста. Тех, что ближе к заднице!

— Слушаем, Мариночка, слушаем! А я так просто впитываю... — Мишка явно терял лицо, ползая в луже слащавости. Чем тут же воспользовался конкурент.

— Марина, надеюсь, сегодня мы ограничимся Аристотелем и Ньютоном?

— Как пойдёт. В основном это будет зависеть от оппоненции. В том числе и вашей, Сергей.

— Но не собираетесь же вы погрузить нас в пучины математической космогонии Козырева?.. Так мы, чего доброго, и до Вейника доберёмся.

А там, как ни крути, придётся Эйнштейна к ответу призывать за всё его мракобесие! А о покойниках или хорошо, или ничего...

— Сергей, вы торопите события, мне кажется. Я догадываюсь, что вы осведомлены в данном вопросе лучше меня, но...

— Всё-всё! Умолкаю. Нет мне прощения. И вы правы, Марина. Сто раз правы, и ещё раз прошу извинить меня. Я так давно не имел возможности поговорить с... умной женщиной, Марина.

Вот же ехидна!

— Итак, — мифичка отвлеклась от своих кавалеров разной степени скабрёзности и повернулась ко мне, — в современном научном мировоззрении известны две принципиально разные концепции времени: реляционная и субстанциональная. Различаются они трактовкой взаимоотношения времени и физической материи. Согласно реляционной концепции, в природе нет никакого времени самого по себе, а время — это всего лишь отношение или система отношений между физическими событиями, иначе говоря, время есть специфическое проявление свойств физических тел и происходящих с ними изменений. Другая концепция — субстанциональная, — наоборот, предполагает, что время представляет собой самостоятельное явление природы, как бы особого рода субстанцию, существующую наряду с пространством, веществом и физическими полями. Реляционную концепцию времени обычно связывают с именем, как правильно заметил Сергей, Аристотеля. А также Лейбница и Эйнштейна. Наиболее же яркими выразителями субстанциональной концепции времени являются Демокрит, Ньютон и из современных учёных, как опять же позволил себе заметить мой многомудрый коллега, — Козырев и Вейник...

— Мариночка! Я же извинился! — Серёга по-детски надул губки и захлопал ресницами. — Профдеформация. Не удержался...

— Вы прощены, Сергей! — Марине явно начинала нравиться случайно подвернувшаяся под руку роль. — Тем более что удержаться от комментариев в подобной ситуации учёному-теоретику было бы весьма трудно. Так что ваша реакция была весьма кстати тем, что как нельзя лучше подтвердит мои дальнейшие слова. — Она отпила вина, по-птичьи вытянув губы, и продолжила: — Дело в том, что принятая нами к обсуждению тема для современной науки является камнем преткновения. Я бы сказала, остриём и даже гранью, когда величайшими теоретиками пройден этап осмысления и мир ждёт практических действий в данной области...

— Как поёт! Как поёт... — Мишкин стеклянный глаз слезился от умиления, а безумный — пожирал профиль мифички.

— Борис Игнатьевич, — (так моего отца зовут те, кто ещё плохо представляет себе, что из всего этого может получиться), — стукните его по дифирамбам, пожалуйста. Я, конечно, не синий чулок. Но и не красный галстук. И уж точно не носовой платок, — сквозь кокетливый тон мифички прорывались нотки явного раздражения.

— Эй, животное, пойди на кухню, завари чаю. Не видишь, нас жажда мучает!.. Познания. Особенно Марину, — отец отреагировал моментально. Как будто ждал повода вмешаться.

— Мари-иночка! Что ж вы не сказали? Вы хотите чаю?

— Очень.

— С чабрецом! — отец зачем-то подмигнул аспирантке.

— С чабрецом? — Мишка на пару секунд замешкался. — А у вас есть?

— У нас нет. Но у тебя есть. А Мариночка очень любит с чабрецом. Мы как раз вспоминали об этом недавно.

— Да?.. — Мишка икнул.

— Два! Ты что, совсем память потерял? Ступай, тащи свои запасы, коль хочешь даме приятное сделать.

— Мари-иночка! — тут же расплылся Мишка. — Для вас... ик... самый лучший! Им вот... никогда! Полторы тыщи метров над уровнем... ущелье... как его там... Тьфу! Сам собирал...

— Ты идёшь или нет?! — рявкнул отец.

— Всё, всё... ща всё будет... — Мишка с трудом выковырялся из-за стола и, шатаясь, пошёл через сад, что-то бурча себе под нос. Хлопнула калитка.

— Всё. Он не вернётся, — отец, улыбаясь, откинулся на стуле и вытянул ноги.

— Как это? — Марина явно не поняла подтекста мизансцены.

— Да не сможет просто, — он удовлетворённо усмехнулся. — Ему с полкилометра до своего сарая. Запас алкогольдегидрогеназы в организме исчерпан, а мышцы ног одни из самых крупных в теле человека — циркуляция крови резко возрастёт и... думаю, даже туда не доберётся...

— А с ним ничего не случится?

— Тёплой южной ночью? В посёлке, где количество отдыхающих раз в пять превышает количество аборигенов?.. Не волнуйтесь, Марина, проспится — и всего делов. Слабенький он у нас. А мы и на пляже хорошо посидели, и по дороге... В общем, не в Мишкиной весовой категории выступления. А тут ещё вы... И красивая, и умная. Что большая редкость, согласитесь... Впал в эйфорию. Что простительно, разумеется, в дружеской компании, но наказуемо.

Ах, папа, папа!

— Ну, раз так... Тогда спасибо вам большое. А то я уж не знала, что делать...

— Чаю?

— Было бы здорово.

— С чабрецом?

— А у вас есть?

— А как же. Предгорья Каратау, ущелье Икансу. Сбор — июнь прошлого года.

— С вами не соскучишься!

— Вот и не скучайте, Мариночка. У Лики, по глазам вижу, вопросов уже пара килограммов наготове. А я пойду заварю, — отец встал и ушёл в дом.

За столом на несколько секунд повисла пауза. Разумеется, первым её нарушил Серёга. Избавление от конкурента прошло по намеченному плану, так что теряться из-за мимолётной неловкости он не собирался.

— Что ж, предлагаю, не тревожа память покинувшими нас, вернуться к обсуждению проблем вечности.

Разумно. Избавиться от меня можно было, только удовлетворив моё праздное, по его мнению, любопытство. А дальше... Романтическая ночь — крылышко к крылышку, клювик к клювику, и заливать, и заливать мифичке в уши свои сентенции.

— Ну, Сергей, вечность это не проблема. Вечность — это... — с готовностью включилась Марина.

— Вечность — это ситуация, и не более! — Я вообще не собиралась вклиниваться, а только послушать. Но само вырвалось. — Извините, что перебила. Просто так Макс говорит...

— Who is Макс?

— О-о! Макс — это мечта, Мариночка, — Серёга быстро перехватил инициативу. — Макс — это тот, кто привяжет себя в шторм к штурвалу, потопит вражескую подводную лодку с одной отвёрткой, сыграет с Богом в нарды по памяти, найдёт стакан холодной газировки посреди пустыни и улетит на Марс не задумываясь — с первой попавшейся симпатичной особой возрождать человечество с нуля. Кстати, в нарды он наверняка выиграет!

— Интересно.

— Не то слово, Мариночка, не то слово! Ах да, ещё он кровью поклялся, что женится только на Принцессе. А поскольку на Земле их нет, то, скорее всего, — родом с другой планеты.

— Как мило!

— Да?! Ну, может быть, может быть, Марина. Вам виднее...

— А что значит «поклялся кровью»?

— Буквально то и значит. Нацедил из пальца, заправил свой неразлучный Parker и на натуральном папирусе — где уж он его взял, не знаю — написал при нас: «Первая Принцесса, что переступит порог этого дома, станет мне наречённой суженой». Число. Подпись. И положил под стекло на столе в кабинете. Это было... чтоб не соврать... — Серёга театрально почесал затылок. — Десять лет назад!

— Ага... — мифичка явно на краткий миг провалилась в недоумение.

Женщинам всегда кажется где-то на подкорке, что они в состоянии понять и приручить любую мужскую экстравагантность. Но когда им сообщают, что некто (обобщающий образ) не добился успеха за ДЕСЯТЬ ЛЕТ!.. Они впадают в лёгкий ступор. А ведь всё так просто! Стоит лишь допустить, что есть мужчины, для которых быть такими, какими они кажутся окружающим, — не позёрство, не способ и не последняя надежда, а что есть НА САМОМ ДЕЛЕ ТАКИЕ...

— Ну что ж. Значит, вечность — это ситуация?.. Согласна.

Серёга хмыкнул. Явно удовлетворённый окончательной реакцией. И покосился на меня. Я в ответ состроила ему «оленячьи» глазки.

— Прав ваш Макс, — продолжила Марина, всё ещё как бы уговаривая себя не задумываться над порою странным поведением некоторых мужчин. — Действительно, ситуация. Ибо только такой подход позволяет отнестись к рассматриваемому вопросу с научной точки зрения. Без примеси экзистенциализма и прочих «измов», что так любят доморощенные философы...

Тут я снова не удержалась.

— А Макс называл время одним из способов... Ведь я могу в рамках нашей беседы использовать понятия времени и вечности как подобные? Или, по крайней мере, как контекстные синонимы?

— Боря, Боря! Как женатый педагог педагогу холостому, скажи мне, это нормально для столь юного возраста? — крикнул Серёга, повернув голову к дому и поставив на стол бокал, из которого только что отпил.

— Яблочко от яблоньки, — послышался довольный голос отца через открытое окно. Он явно прислушивался к нашему разговору, пока готовил на кухне чай.

— А-а... Ну тогда понятно! — подыграл Серёга.

— Поясните, пожалуйста, юная леди, я не совсем поняла, что вы имеете в виду?

— Владимир Максимович говорил, что время — один из способов, с помощью которого универсальное вещество вселенной формирует образы самого себя.

— А ваш Макс, он... чем вообще занимается?

— В рамках обсуждаемой темы он «доморощенный философ», — я была безумно горда и собой, и за Макса. — А вообще он геолог.

— Геолог?

— Мариночка, вы не отвлекайтесь. Методика — наше всё! А за этим столом, — Серёга выразительно кивнул в мою сторону, — что ни собутыльник — так учёный-теоретик, что ни философ — так геолог, что ни шахматист — так космонавт. И наоборот. Им временны́е парадоксы разгадывать — что грецкие орехи щёлкать. Были бы щипцы покрепче. А есть нюансы, не правда ли, Мариночка?

— Нюансы есть везде, где не хватает понимания, — это очевидно... — Кажется, до Марины дошло, что не всякой ролью следует злоупотреблять.

— Ну во-от! — с лёгким оттенком менторства продолжил ворковать Серёга. — И я думаю, что нашей словоохотливой принцессе, нахватавшей плодов с разных деревьев, не помешало бы знать, что с чем едят. То бишь более подробное объяснение разницы между реляционным и субстанциональным понятиями времени было бы уместным, вы так не думаете, Марина?

— Как я уже говорила, согласно реляционной концепции — в природе нет никакого времени самого по себе, — мифичка с облегчением вернулась на лекторскую стезю. Ибо нет ничего хуже, чем соревноваться в теории с тенью отсутствующего за столом оппонента. — Для правильного понимания необходимо ещё добавить, что время, к которому мы все привыкли, передаваемое по радио или телевидению, по которому мы настраиваем наши будильники и по договорённости считаем эталонным, — оно придумано человеком. Придумано с целью рациональной организации жизни общества. Природа его не знает. Это условное время. Даже можно сказать — социальное. Субстанционалисты же основываются на предположении, что в природе существует некое истинно простое хрональное *явление*, которое распадается на составляющие: хрональное вещество и его поведение. Подмена реального времени условным и наоборот — причина многих заблуждений в современной науке. Это как раз то, на что намекал Сергей, — самая нелепая ошибка теории относительности, например, заключается в том, что Эйнштейн говорит о переменности хода времени условного, тогда как он вообще не способен изменяться. Отсюда, соответственно, бессмысленны и все остальные выводы этой теории. Но это уже лес дремучий. Попросту говоря, в сознании людей время — это либо сквозная условная сетка, накрывающая всё материальное пространство, либо некое вещество, обладающее невыясненными свойствами.

— Однако некоторые предположения насчёт свойств имеются, — вмешался Серёга. — К примеру, что время — это единственное вещество, способное передать воздействие от одной системы к другой мгновенно.

— Вообще-то говорить о мгновенном распространении взаимодействия с материалистической точки зрения совершенно нелепо. Хотя если принять во внимание предположение Вейника — всё-таки мы добрались и до него — о существовании частиц, не содержащих квантов хронального вещества, то есть как бы одновременно присутствующих и в прошлом, и в настоящем, и в будущем, — то такое допущение со скрипом, но принять можно... Но вообще всё очень запутано. Чтобы разобраться с математическими выкладками, лично мне, в первом приближении, потребуется лет десять. И я как-то склоняюсь...

— Но, Мариночка! Вы же не можете отворачиваться от экспериментальных истоков.

— Экспериментальных?

— Ну разумеется! Вам ведь наверняка известно, что идея хронального вещества родилась внутри строго научного эксперимента, осмысление которого и привело к подобным мыслям и самого экспериментатора, а впоследствии и упомянутого здесь уже не раз Вейника. Идея о том, что время, точнее, хрональное вещество, материально не понарошку, по-релятивистски, а взаправду![1]

На террасу вышел отец. С большим заварным чайником и несколькими пиалами на подносе.

— Как старший по званию, — начал он, пристраивая поднос на стол, — хочу заметить, что вы, Марина, и в большей части ты, Серёжа, несколько ушли от исходной задачи. Вместо того чтобы осветить проблему... простите, ситуацию... в ярком и прозрачном свете популизма, оказались уже в полушаге от туманной научной дискуссии. Но хочу вам заметить, что юная барышня, вызвавшая своим вопросом столь бурное обсуждение, чем дальше — тем меньше улавливает предмет и...

— Пап, не говори за меня!

---

[1] Комментарии А.И. Вейника о работе ленинградского астронома Козырева Н.А.: «Исходный импульс для экспериментов я получил от Н.А. Козырева, который наблюдал в телескоп звезду Процион, но не в том месте, откуда кажется, что исходит видимый свет, а в том, где она фактически находится в данный момент с учетом скорости распространения света, а также скорости и направления движения звезды. Мне с самого начала было ясно, что Н.А. Козырев имел дело с каким-то невидимым излучением, скорость распространения которого многократно превышает скорость света. Результаты экспериментов Н.А. Козырева с этим излучением навели меня на мысль, что оно имеет хрональную природу». [*Вейник А.И.*, «Термодинамика реальных процессов», Минск: Навука i тэхніка, 1991, стр. 332]

— Хочешь сказать, что ком вопросов по мере обсуждения не нарастает, а рассасывается?

— Хочу сказать, что я барышня не кисейная. И ложной скромностью не обременена. Математические выкладки мне, конечно, ни к чему — если уж и Марине на это лет десять понадобится, — но суть я вполне в состоянии ухватить.

— И что же ты успела ухватить к текущему моменту?

Старый провокатор! Опять это бесконечное менторство. А ещё отец называется!

— Ухватила то, что субстанциональная концепция мне больше по нутру.

— Нашего полку прибыло! — Серёга поднял правую руку и потряс сжатым кулаком.

— А почему?

— Мне кажется, что она... смелая. Революционная, что ли. Интуитивно я понимаю, что нашему восприятию условное время ближе. Не проще, но ближе. Но в этом и заковыка. Людей всегда больше тянет к тому, что дальше лежит. Так интереснее.

— Наш человек! Толк будет! — чуть не крикнул Серёга и поднял бокал. — За тебя, принцесса! Ну... и за революцию!

— Не ори. А то люди не поймут. Особенно последнее, — отец был немного раздражён. Не любил публичных проигрышей.

— Да хрен с ними! — не унимался Серёга. — Кому мы непонятны, тот и не с нами днесь!

— То есть ты хочешь сказать, — отец вновь переключился на меня, — что вещество времени, которое никто толком не щупал, не измерял и всяко разно не оценивал, не имеющее никакого прикладного значения, вызывает твой больший интерес, нежели условная, пусть местами и относительная, сетка, которая, однако, управляет и лежит в основе жизни практически всех людей?

— Насчёт прикладного значения ничего не скажу, кроме того, что с помощью теории о времени как веществе можно было бы хоть как-то истолковать массу необъяснимых явлений...

— Я бы не делал в своих аргументах ставку на журналистские «утки» и прочие слухи. Люди, они готовы выдумать любую сказку, чтобы скрыть нежелательные и порой ужасные последствия своих поступков или оправдать собственные заблуждения.

— Я и не делаю. Просто что делать с «сеткой» — сидеть и смотреть, как всё сущее ползёт по ней линейно и поступательно?

— Ну, не всегда, не всегда...

— Серёж!

— Прошу прощенья, принцесса!

— Так вот... А если время — вещество, то им можно манипулировать. Определить его свойства, рано или поздно, — и изменять их. Скорость там, плотность... я не знаю.

— Теоретически да. Но подступиться к этому веществу пока нет возможности.

— Почему?

— Учёный ответил бы тебе, что любая экспериментальная база науки вырастает на пашне статистики. А рост статистики обретает ускорение только при наличии некоей суммарной критической величины экспериментов. Неискушённому слушателю это представится порочным кругом. Но это не так. Ведь я говорил об ускорении роста экспериментальной статистики. Линейный-то рост никто не отменял. Но для того, чтобы при линейном росте экспериментального материала была накоплена критическая суммарная величина, которая позволит осуществить прорыв, качественный скачок, — потребуются столетия.

— Время что, против того, чтобы мы его изучали?

— Да нет. Такова триангуляция[1] пространства, познания и... собственно времени. В переносном, то есть в философском смысле, разумеется.

Что такое триангуляция? Чёрт её знает. Вот гад! Это он специально.

— Я поняла. Но что бы ответил философ на тот же вопрос?

---

[1] В данном случае — в переносном смысле — имеется в виду определение своего положения по отношению к фундаментальным понятиям.

— Любой здравомыслящий философ сказал бы, что не имеет значения, как называть то, что существует, и как соотносить себя с ним. Очередной виток эволюции открывает знания, необходимые и достаточные для достижения следующего витка живыми и здоровыми.

— Но кто-то же должен что-то делать для этого. А не просто сидеть и ждать, пока таблица Менделеева приснится! Или, по-твоему, это случайность — что таблица Менделеева приснилась именно химику? Почему не рыбаку или плотнику?

— Может, и снилась. Только, проснувшись, плотник примерил странный сон на своё плотницкое дело и понял, что для него от этой белиберды толку никакого не будет, и выбросил из головы.

Все замолчали. Отец разливал чай по пиалам.

— Всё равно! — хоть я и не могла так умело плести кружева софистики, но кое-какие мысли по поводу неявно роились в голове. — Можно просто принять гипотезу о веществе времени как исходную. Пусть и на веру! И действовать исходя из этого.

— И как бы ты действовала?

— Не знаю... Пока не знаю. Но я подумаю. Или...

— Или?..

— Да нет, ничего... Спасибо за чай. И спокойной ночи всем. А то я уже чувствую, как с потревоженной паутины времени на меня сыплются странные комочки вещества, очень похожие на засушенных мух...

Ушла.

Ладно. Чёрт с ним! Посмотрим, что это значит: *шар там забрал это*

время

Я закрываю за собой дверь в комнату на шпингалет и прикрываю окно. Что так духота, что эдак. Зато голоса с террасы становятся совсем неразборчивыми, и можно не прислушиваться. И так понятно, что ближайшие минут десять будет обсуждаться «что это на неё нашло?».

Достаю из-под подушки две половинки прежнего шара, маленький целый шар и письмо. Думаю, может, перечитать, но... зачем? Всё понятно. Как всегда. Объяснения пространные — указание точное.

Прячу половинки и письмо обратно под подушку. Беру в руку маленький шар. Встаю и выключаю свет. Возвращаюсь к кровати. Сажусь поближе к окну. Из-за неплотно прикрытой рамы — стрекот, далёкие крики чаек, какие-то попискивания, лёгкий шелест и слабое тление южной ночи. Верчу шар перед носом. Кажется или он на самом деле испускает чуть заметное голубое сияние?.. Нащупываю пальцем небольшое отверстие. «Это не опасно...» Да уж. Письмо-то написала я. Вне всяких сомнений! Наверняка бы не стала саму себя подвергать опасности... что я, сумасшедшая, что ли?! «Вспомни *птиц*...» Понятно, о чём это она. В смысле... я. Ну, не помню, как оказалась дома тогда... Не помню!.. А может, узнаю наконец? И с крестиком тогда в пустыне... Почему именно эти истории? Мало ли со мной чудно́го происходило... А что будет, если взять и как долбануть по шару молотком?! Чушь!

Всё это что-то напоминает... Типа «съешь меня», «выпей меня»... Ага. И ещё «посмотри в меня»!

Ладно. Посмотрим...

Две половинки маленького шара и ещё один свиток с лёгким стуком падают на половицу под ногами. И в тот же миг крупная ночная бабочка глухо бьётся снаружи о стекло... Как будто

в отчаянии

...сгусток чего-то мутного, шокирующего, страшного метнулся перед внутренним взором. Боль? Память о ней? Ожидание её? Доля секунды. Как тень.

И всё...

Море. Солнечное, слепящее. Ветер, как новорождённый, играется с мелкой искрящейся рябью. И небеса. И берег. Там отец. Простыня, натянутая на каких-то палках ярко-белым пятном среди седых валунов и гальки.

Ты видишь.

Или знаешь?..

А может быть так, что ты видишь то, что знаешь? И поэтому оно есть?.. Но оно же есть! Вот оно, море... Странно. Ты как бы зависаешь над ним. Метрах в двух. Может, в трёх. Всё это так забавно... в метрах. Ты просто «над». И видишь берег.

Но — да! Море, ветер, солнце... Ты видишь. Ты вместе с ними. Радуешься. Это так здорово! От солнца нет жара. Но оно здесь. Яркое, слепящее. Море. Без плеска и солоноватого привкуса брызг на губах. Но и оно здесь. Игривое, ласковое. Самое любимое! И ветер... Он не касается тебя, но он здесь. Они все здесь. Вот они. И это здорово. Здорово видеть собственное знание!

А вот отец... Это другое. Он там. Правда там. Ты видишь знание о его фигуре, что выходит к полосе прибоя и смотрит вдаль. Но и он сам там. Он не просто то, что ты видишь. Он как бы с тобой. В тебе. Но *там*. Не здесь. И знание того, что *там* — это берег. Как *место*. Простыня, валуны — *там*. И здесь. А отец *там*, но не здесь, но в тебе...

Что-то не так. Это видно в знании. Фигура отца вновь у кромки прибоя. Она нервная. Ходит туда-сюда... Но это *там*. А в тебе что-то надрывается от того, что это не здесь.

Там, в знании, прошло уже два часа. Два часа, как тебя нет. Но это ещё не здесь. Это есть в твоём знании про то, что *там*. А здесь, но из *там*, за твоим знанием, поднимается волна. Этот сгусток... Маленькая тень чего-то огромного, страшного. *Там*... У него в сердце. В сердце отца. Твоё знание о его сердце — это твоё сердце... Он должен знать, что ты здесь! Так высоко паришь над волнами. Ведь совсем не далеко... Должно быть видно...

Но это твоё знание о его сердце! А *там* его сердце накрывает волна!

Но твоё знание о его сердце — это твоё сердце. И ты знаешь волну. Не маленький сгусток. А мутную мощь ужаса и скорби. *Отчаяние*. Твоё знание не видит страха. Оно видит скорбь. И оно видит волну. Волна — это и есть муть скорби. Она заполоняет лёгкие, она взрывает сердце, скручивает жилы и мышцы в тугие жгуты, и они лопаются... *Там*... Но в тебе.

Вдруг обуревает желание обернуться. Туда — откуда приходят море, и ветер, и солнце... Но знание не хочет поворачиваться. Лоскутом ярко-белого полотна где-то в стороне проносится простыня. И уносит с собой знание о мутной волне скорби, разорвавшей знание о сердце...

Ты хочешь повернуть эту боль вспять. Вновь ощутить эту волну и победить её... Но вместо этого узнаёшь лики скорби. Сгусток безразличия, как мешок с мёртвой рыбой. И вот уже сердце матери взрывается, и его ошмётки добавляют розового в орнамент моющихся обоев на кухне вашей московской квартиры.

Дед наливает рюмку и кладёт сверху маленькую горбушку чёрного. И его сердце, отравленное пакостями войны, болью и состраданием, — взрывается. И уносится через открытую балконную дверь третьего этажа куда-то туда, в цветущие шумные тополя.

И бабушкино сердце плачет слезами, и влажный тополиный пух облепляет её милое лицо...

Белая простыня сереет, уменьшается и сливается с низкими облаками, окутавшими вершину Кара-Дага. Сереет и море. Сереют ветер и солнце... Исчезают контуры, цвета, формы...

место

Знание говорит, что *место* важно. Для чего? Ни для чего. Но оно *было* важно три дня. Поэтому ни для чего. Теперь только — *когда*. Но и само *когда* не важно для чего-то. Оно будет важно от трёх дней до девяти. Ничего важнее *когда*.

Места больше нет. В никакой серости есть только

когда

Бесконечные слоящиеся тени воздуха над безликой равниной серого моря, скатывающегося с обрыва невидимого горизонта бесшумным водопадом.

И вот уже нити воды и воздуха сплетаются. Их не различить. Как необратимый поток, они тянут с собой что-то похожее на память — туда, в бесшумное ничто. Бесконечный серый струящийся дождь. В безымянном пространстве. В каждой капле которого живёт чешущееся от укуса комара предплечье и огрызок карандаша, собака, спящая на ступенях у подъезда, и тихий плеск воды на ночной рыбалке, холодок уксуса на пылающих от жара пятках и красная клякса крови на белой блузке, свисток из стручка акации и... И... И... И....

Иссякнет ли? Не важно. Или важно?.. Ты — дождь. Безликое безымянное ничто. Существующее ни для чего...

Сто девятнадцать миллионов восемьсот тридцать шесть тысяч четыреста две капли. Каждая как один вдох. И каждая теперь должна сделать свой выдох...

С последней каплей исчезает *когда*.

Теперь важно только

здесь

После девяти дней до сорока важно только *здесь*. Не *место*. А то, что внутри. Что может сделать «здешним» всё, что угодно. Или что нужно. То, что делает правым только твоё. То, что делает правым... Это не *место* и не *когда*. Это только *здесь*. Как сердце отца было не там, но было внутри...

Ты — жемчужина в раковине. Слой за слоем. В темноте и надежде. Слой за слоем...

Перед правотой не устоять. Только принимать. Тебя нет. Только принимать.

Пока я не я... Покаяние.

Слой за слоем. Слой за слоем...

А после...

Правота знания как узкая полоска света, как струна. Серебряная струна, которая вот-вот лопнет...

...две половинки маленького шара и ещё один свиток с лёгким стуком падают на половицу под ногами.

И в тот же миг крупная ночная бабочка глухо бьётся снаружи о стекло...

Фу! Противная какая!

126

Я нагибаюсь и, пошарив руками по полу, нахожу свиток.

Надо бы встать, включить свет... Но вдруг замечаю, что буквы слегка фосфоресцируют. Ай да молодец! Всё предусмотрела. А то, конечно. Если свет — отец обязательно заглянет...

Ну что ж, почитаем:

«... а теперь слушай внимательно...»

Вот так вот! Ни «здрасьте», ни «как дела?». Хотя понятно, уже здоровались. Чего теперь церемониться...

«... Я — это ты. И ты это уже знаешь.
«Что», «почему» и «как»?
Будь терпелива.

Хотя я уже слышу твои мысли: «Наверное, я прожила чёртову уйму времени. И там, в далёком будущем, наконец-то изобрели способ «пронзать» время, и я решила пообщаться с собой, той, что ещё юна, как ландыш...» Бла-бла-бла и всё такое.

Следующей твоей мыслью наверняка будет: «А как же парадоксы времени? Вмешавшись в своё прошлое, я повлияла и на ту себя, что решила так поступить...»

Но ты же умная, Принцесса. Поэтому тут же найдёшь ответ: «Наверное, в этом и состоял мой план. Там, в будущем. Повлиять. Но повлиять не просто так. А повлиять намеренно. *Строго определённым образом...*»

Тпру! Остановись. Дальше останется только выдумать детективный сюжет. Про плутоний, террористов и письма самой себе с предупреждением об опасности.

Всё не так. Совсем не так!

Но будем последовательны. Начнём с условий задачи. Ты должна знать то, в чём не приходится сомневаться.

Да. Я — это ты.

И это стало возможным благодаря вмешательству. Которое — в свою очередь — стало возможным благодаря открытию. Если так можно сказать, конечно... Ибо открытие — явление самодостаточное. Когда что-то просто открывается и ты понимаешь, что это было всегда. И всякие там фантазии про путешествия «сквозь время», да ещё с использованием каких-то непонятных механизмов... Всё чушь! Открытие — это как кровь. Ты можешь читать про неё и её свойства, знать физику и химию, но только когда ты впервые порежешь палец — ты узнаешь, что она действительно есть и течёт в тебе!

К чему привело вмешательство?..

К тому, что ты... Я! НИКОГДА не была на вершине *той* скалы.

Так, знаешь ли, и не решилась выйти на «полку»...

И мне НИКОГДА не возвращало потерянный крестик весёлое существо пустыни.

Промотавшись до вечера в песках, я обозлилась, скисла и вернулась ни с чем. Однако моя шурпа очень понравилась Максу...

Я НИКОГДА не созерцала блики времени, перед тем как провалиться в них вместе с песчаной бурей.

Ты к тому моменту уже изменилась. И я уже не была тобой. Но сама ещё не знала этого. В тебе поселился покой, подаренный пустыней. А я всё так же предпочитала злиться на «бездельного» Лёху и страстно желать половить на спиннинг. Только с Максом. И чтобы за тысячу километров от остальных...

И я не полезла в эту расщелину за крабом.

Потому что... просто побоялась. И провела день, злясь и скучая, потому что...

Потому что я НИКОГДА так и не призналась себе в своих чувствах. Ни себе, ни тем более ему. И это «никогда» случилось всего пять дней спустя.

Когда мы с отцом получили телеграмму, в которой сообщалось, что Макс погиб.

Вот такие вот подобные переменные у этого уравнения...»

Руки опускаются сами собой. Лицо горит.

Я ничего не понимаю, кроме того, что через пять дней Макса не станет.

Распахиваю окно.

Звуки ночи — как и вовремя включённые соседом за стенкой Битлы — возвращают немного трезвости мыслям. Я продолжаю:

«... 21-го он уехал в экспедицию. Куда-то в горы. До места добирались на машине. В ущелье на дороге к перевалу случился небольшой затор. Оползень. Вроде было небольшое землетрясение. Все стояли и не знали, что делать. И ещё они не знали, что выше по ущелью землетрясением повредило плотину.

Время было к вечеру. Когда уже решили устраиваться на ночлег, там, наверху, запертое в тисках гор и бетона небольшое красивое водохранилище вырвалось на свободу. У Макса ушки на макушке — ты же знаешь. В одной из машин ехали альпинисты — тренироваться в базовый лагерь. И ещё семья с тремя детьми — возвращались домой. Надо было подняться по стене хотя бы выше уровня осыпи от обвала — тогда ещё оставался

130

шанс. Альпинисты поднялись быстро. Остальные в это время вязали люльки внизу. Успели поднять детей, их мать и ещё одну девушку-студентку из группы Макса...

Сель унёс с собой всё. И осыпь, и машины, и дорогу, и всех, кто оставался внизу. Тела́ даже не искали...

И я решила.

Мужчина-Король и его Принцесса. Вам так не хватает этого обоим. Предрассудки, ужимки... Кара эпохи лжи! Я подумала — ну, пусть хотя бы лет... двадцать, например. Почему нет? Хорошая цифра.

Счастье-то не в том, чтобы знать, какой мир на самом деле. А в том — с кем ты в этом мире. Мир-то всё равно такой, какой он есть. Вне зависимости от того, чем он представляется лично тебе.

Доживёте вы или нет — я не знаю. _То_ будущее мне неизвестно. То есть оно могло бы быть мне известно, и сейчас всё ещё может. Но с того момента, как я изменила то, что изменила, прямой путь к причине превратился для меня во вселенную возможных сочетаний. Попасть можно. Но разве что случайно буду проходить мимо. Да и то не факт, что пойму — вот оно. Слишком невероятно, чтобы полагаться на такой вариант. Но на тот случай, если доживёте, — там, в конце письма, найдёшь запечатанную в пластик «таблетку». Она открывается просто. Нужно повернуть верхнюю часть — с инициалами — относительно нижней против часовой стрелки на четверть оборота. Выбери любое безлюдное место. Но помни, ты не должна открывать её. Это должен сделать Макс. А ты будь не ближе двадцати шагов от него. И главное — механизм откроется не раньше, чем через двадцать лет».

Что значит: Макс?! А разве он... ну да, ведь он же ещё не... Господи, я даже не успела подумать, что ведь ещё можно что-то сделать!

«Останови свои сумбурные мысли! Я просто кожей чувствую их. Ведь объединяет нас всё равно нечто большее, чем то, что разделяет.

Макс уедет в экспедицию 21-го июня. Сейчас 18-е, если ты решилась заглянуть в шар сразу — а я в этом нисколько не сомневаюсь, зная... нас, — то у тебя два дня.

Предвидя логический ход твоих рассуждений, я сразу хочу сказать: за тех людей, что спаслись, — не беспокойся. Я всё выяснила. Там вообще никакого землетрясения не было. Просто кое-кто изрядно крупный прогулялся по ущелью в полубессознательном состоянии. Брёл там сквозь всё подряд, цепляя то время от *времени*, то время от *места*, то... В общем, этот дурак с работы возвращался, ну и... Кто он — лучше не спрашивай.

Это описать даже мне не под силу. Да и не важно. Мало ли где, что, с кем, когда приключается. Бесконечность — это ведь всего лишь способ, с помощью которого мир хранит информацию о самом себе... Короче! Он там сначала скалу коленом зацепил, а потом попить остановился. Отвлёкся. А там плотина эта...

Не знаю, как объяснить. Но вкратце — то, что я поставила тебя в известность, нарушило известный мне путь. Я как бы лишила себя возможности найти прямую дорогу к причине. Чтобы воздействовать — нужно попасть. По крохам собрать вещество. С тобой — другое дело! Мы же — одно... В некотором смысле. Это как коридор в знании. А с прочим, если схема нарушена, проще пересчитать пылинки на полках в музее. Вероятность, что попадёшь, есть. Это утешает. Но одна из бесконечности. И как понять, что заглянула в нужный кинотеатр? И кино то же, и зрители. Но пока не разберёшься, что при строительстве фундамента под угол бросили серебряный полтинник, а не никелированный гривенник, так и не поймёшь, что не то, не то, не то... От этого с ума можно сойти! Поэтому я не могу найти... этого — что бед натворил. Но тех людей я видела живыми и сейчас вижу.

Ты спросишь, почему я не предупредила Макса? По той же причине. Раньше — до той скалы, когда я первый раз вмешалась, — могла бы. После — нет. Схема была нарушена, и путь растворился в бездне вероятностей. Но подумай... Предупреди я Макса, я потеряла бы возможность найти... себя. Прости, тебя. Он бы спасся, но что бы тогда изменилось? Он просто остался бы жив... А это не так важно, как принято считать. После того как шар вернул тебе утраченное время, ты уже должна кое-что чувствовать, правда? Я верю, что ты... поверишь.

Целую тебя».

Всё.

Я откладываю письмо. Голова идёт кругом...

И вдруг я вспоминаю. Вспоминаю со всей ясностью неведения, со всей неожиданной готовностью. Вспоминаю. И *Отчаяние*, и *Место*, и *Когда*, и *Здесь*...

Ноги вдруг оказываются безумно далеки от привычных ощущений. Руки вытягиваются, неравномерно наливаясь весом. Метаморфоза сплетает тело и сознание во что-то одно. Неуклюжее, асимметричное. И оно вращается неравномерной массой на острие невидимой иглы Вселенной. Я знаю, что могла бы испытать ужас. Могла бы... — и моя Память[1] показывает мне его пределы. Удивитель-

---

[1] Имеется в виду филогенетическая память. Которую, разумеется, никто не щупал. Как, впрочем, и время.

ные, нечеловечески безграничные просторы ужаса, очищенного от всего мне известного.

Я могла бы испытать удивление. Могла бы... — и Память показывает мне глубину своей жажды. Глубину, похожую на скорость без предела. Выдох покоя.

Я знала, что могла бы вернуться. Могла бы... И Память подсказывает мне...

Когда я возвращаюсь, за абрисом окна тихо струится ночь. На какой-то миг кажется, что я вижу сами струи, из которых соткана картина чернильной тьмы. А за ними странные очертания. Не то зданий, не то огромных деревьев непривычной формы. Только одно почему-то мне известно наверняка. Нет. Я не вижу этого. Но знаю — там, за плотно сплетёнными нитями ночи — день. И в этом дне высоко в небе парит голубое солнце. И... что-то во мне изменилось навсегда.

Глава третья:
Макс

Если возможности твои ограниченны, всё равно действуй; ибо только через действие могут возрасти твои возможности.

Шри Ауробиндо

— Мне нужно вернуться!

— Что?

— Проснись!

— Что случилось?

— Мне нужно вернуться!

— Куда?

— В Москву!

— Ты что, сдурела?! — отец смотрит на часы. — Четыре утра! Какая шлея тебе под хвост попала?!

— Я не могу сейчас всего объяснить...

— Не понимаю... Только сидели вместе... Что успело произойти?

— Успело.

— Дурость какая-то!

— Мне срочно нужно в Москву! Понимаешь?

— Нет, не понимаю. Понимаю, что только сидели за столом — и всё было нормально... А потом ты будишь меня посреди ночи...

— Уже рассвет.

— Ты можешь толком объяснить, что случилось? — в его тоне уже искрятся первые нотки раздражения.

— Пап! Клянусь, я всё объясню... потом. Ладно?

— Нет. Не ладно! — нотки на глазах сливаются в колокольчики раздражения, грозя перерасти в наковальню злости.

— Просто будь мне сейчас другом. Настоящим. Который может не знать, не понимать, но доверяет. Который боится — но верит. Обижается — но прощает. Который поможет в нужный момент не для того, чтобы поставить галочку, а согласен ждать вечность, чтобы просто узнать, что у тебя всё в порядке... Не знаю, что ещё сказать. Я должна быть в Москве сейчас, так или иначе. И я там буду. Ты можешь помочь мне, но не помешать. Разве что свяжешь по рукам и ногам. Правда, придётся ещё и кляп воткнуть. Потому что я буду кричать...

— Дикость какая-то! Я ещё раз спрашиваю, ты можешь объяснить, что случилось?

— Сейчас нет. Это только всё осложнит.

— Ну, нет — значит, нет!

— Нет?! Значит, то, что я только что говорила, для тебя ничего не стоит? Ты не можешь быть мне даже другом?

— Я твой отец!

— И что это значит, по-твоему? Делайте что хотите, только меня не трогайте? А тут матери нет, и вся ответственность на тебе?

— Да она меня убьёт!

— Это всё, что тебя волнует? А я думала, быть отцом — это не только уметь принимать решения, но и принимать их. Единолично, властно. Может, и ошибаться. Но уж точно никогда не бояться. Время рассудит... Да уж... Но оно судит только сильных.

— Всё, хватит. Это слишком, — он вдруг смягчается. Ага, меняет тактику. — Так радовалась, что получилось поехать... И мать осталась... Я думал...

— Ты не будешь меня связывать по рукам и ногам?

— Я надеюсь на твоё здравомыслие, — по тону понятно, что всё безнадежно. — Отпустить тебя одну через полстраны, неизвестно почему и зачем, я не могу. Можешь думать что хочешь. И время действительно рассудит, тут ты права. И я знаю как.

— Ты не знаешь.

Вернувшись в свою комнату, я сильно хлопаю дверью. Не потому, что зла. А потому, что он ждёт, что я буду зла. Значит, всё *как обычно*. Так он будет думать. Покараулит, конечно, часок. Для порядка и совести. Но ничто так охотно не заполняет предрассветные часы, как

сон

... — Хиппуешь?

— Сублимирую.

— Чего?..

— Подбросите?

— А тебе куда?

— В Москву.

— Эка дала!

— Беда у меня дома. Срочно надо вернуться.

— А-а... Ну ладно, садись. Я до Симферополя. Всё ближе. Что стряслось-то?

— Человек при смерти.

— Родня?

— Да.

— Понятно. Бывает. У меня, вон, тоже в позапрошлом годе тёща... Золото, а не тёща! С Питера возвращалась — сестра у неё там, — так представляешь...

Представляю, представляю, представляю...

Я и не голосовала. Зелёный запылённый «Зилок», охнув и взвыв тормозами, остановился на обочине чуть впереди. К этому моменту я успела отойти от посёлка километра на два. «Пик Ленина» уже остался за спиной.

— ...ты не горюй. В город приедем, позвоню. Сват в Москву собирался за запчастями. Может, ещё не уехали. Попрошу — захватят с собой. Билеты щас хрен достанешь, а они на машине. В смысле, с Нинкой. Ох уж она у него язва. Всю плешь проела с этой вашей Москвой. Хочу, говорит, не могу. Но ясно ж — одного пущать боится! Что ж... Правильно делает, с одной стороны, с такой язвой хошь не хошь, а при случае и запчасти подождут. Эх, жизнь наша бёкова...

«Зилок» так топорщится в пространство ветхостью своих механизмов и издаваемыми ими звуками, что, кажется, и десяти минут не выдержать. А сколько добираться до Симферополя?..

— Слава, — вдруг ни с того ни с сего представляется мужик.
— Лика.
— Красивое имя... А что значит?
— Не знаю.
— Всё равно красивое...

140

Что дальше?

Деньги бы нужно экономить. Хотя... было бы что экономить — два рубля с мелочью...

Короткий отрезок серпантина сменяется холмистой местностью. А минут через сорок — спуски и подъёмы остаются далеко позади. Грузовичок идёт ровнее и меньше кряхтит и стонет.

Напряжение от первого броска в неизвестное спадает. Слава что-то рассказывает без конца. То про сестру, что никак не могла забеременеть, пока они всей роднёй не махнули на источник к монастырю, поворот к которому, кстати, проехали минут десять назад, не перепились там на радостях и не попрыгали все в ледяную купель. Все, кроме собственно сестры. Месяца не прошло — та на сносях. Чудо, да и только! То про начсклада гэсээм их автопарка, с портретом Сталина метр на два, руки неизвестного мазилы, в каптёрке. То про жену, с которой ему повезло. «Всё хозяйство тянет». И чуть ли не сады Семирамиды на десяти сотках взрастила, вперемешку с курями, козами и коровой... Я слушаю вполуха, изредка подыгрывая междометьями и жестами рук, и постепенно погружаюсь в монотонное течение пейзажа за приоткрытым пыльным окном грузовичка, уворачиваясь от редких встречных вопросов.

Возделанные поля с «пауками» оросительных систем. Ровные аллеи пирамидальных тополей вдоль ответвляющихся от основной трассы дорог. Какие-то террасы на сопках в стороне. Карьеры. Персиковые сады за живыми изгородями акаций со стороны дороги и ветхими сарайчиками сторожей, а то и просто выгоревшими армейскими палатками. Кругом солнце и пыль. Чистая, не вызывающая брезгливости пыль. Как вода из родника отличается от прозрачной жидкости в стакане из автомата с газировкой на Курском вокзале, так пыль степных дорог отличается от взвеси, что накапливается за день в раскалённых коридорах улиц больших городов.

Нежный Дрёма своими мягкими пальцами прикрывает веки. Бессонная ночь даёт о себе знать. Хочется пить. Но ещё больше хочется ни о чём не думать. «Поспи, поспи. Рано, поди, поднялась...» Славный он, этот Слава. И так вписывается во всё со своим кряхтящим грузовичком, с беременной сестрой, с женой, персиками, солнечной пылью, бегущими по равнине тенями небольших облаков...

...Тень огромного орла со всадницей на шее отражается на слепом полотне ночи. Замерший полёт. Как иллюстрация к действию. Я вижу, точнее — знаю, — что они несутся над бездной, на дне которой какое-то движение, мельтешение предметов. Но мельтешение гармоничное, строгое. Я чувствую это.

Вдруг что-то нарушается. Сумерки бездны освещает молния опасности. Иллюстрация перестаёт быть просто картинкой. Огромная птица, сомкнув крылья, одним росчерком пространства оказывается внизу. Ещё миг — и она взмывает обратно в вечную ночь. В когтях её огромных лап один из странных предметов, что копошились там, на дне...

С оглушающим скрежетом тормозов грузовик, юзом еле удержавшись в пределах обочины, встаёт как вкопанный. Тело, прямиком — в обход спящего сознания — среагировало молниеносно. Выбросив вперёд руки, я только чуть прикладываюсь лбом о боковую стойку кабины.

— Господи! Ты это видела?!

— Что?! — конечно, видела. Но мужику лучше этого не знать.

— Нет, ты видела?!!

— Я заснула...

— Вот там! Там! Только что был колхозный «уазик»! Вылетел из-за кустов с грейдера! Нас не видел, а может, пьяный! Я только подумал: «Всё, капец! Деваться некуда...» По тормозам... Понесло... Аж зажмурился, прости Господи! А его нет! Как растворился!

— Вы уверены?

— Да какой там! Всю родню за секунду вспомнил!

У него лицо в испарине. Выскакивает из машины, бежит вперёд к повороту на просёлочную. Крутится там, поглядывая то по сторонам, то вверх. Возвращается, обходит грузовик, залезает обратно в кабину и закуривает. Пара минут проходит в молчании.

— Ну, что там?

— Следы.

— Чьи?

— «Уазика».

— И что?

— И прерываются... Назад не сдавал — видно... Не понимаю!

— Слава, вы уверены, что не заснули за рулём? Знаете, бывает так, на секундочку...

— За мной не водится! — он щелчком вышвыривает окурок в приоткрытое окно. — Ладно, поехали. Сто лет гадать можно... Всё равно не понимаю!

Это «не понимаю» отражается на его лице ещё около двух часов — до конца пути.

Мне всё равно хочется спать. На лбу вздулась небольшая шишка, и голова слегка побаливает. В полусне, иногда резко открывая глаза, когда грузовик подскакивает на особо крупной выбоине, мне кажется, что я вижу всадницу на шее огромной птицы, тенью на слепом полотне ночи...

Дом на окраине Симферополя, под кроной огромной шелковицы, небольшой, но очень уютный.

Дворик и терраса под навесом из винограда. Цветы вдоль выложенных старым кирпичом, как брусчаткой, дорожек. У гаража из неоштукатуренного ракушника — густой малинник. За домом сад — действительно ухоженный. Персики, черешня. Кроны аккуратно подрезаны, стволы побелены, земля у корней вскопана и прополота. За садом маленький скотный двор. Начисто вытоптанный, без единой травинки. Зверья не видно — жара. Только копошение и редкое кудахтанье из сараев. Всё просто, добротно. Как и должно, наверное, быть. Или, скорее, как и было испокон века.

В доме прохладно, светло. Белёные стены. Дощатые, тоже выбеленные не то хлоркой, не то частым мытьём полы. Полки, рюшечки, занавески, циновки, подоконники, пара фотографий стариков...

145

Я сижу на кухне за столом. Передо мной молоко, хлеб, миска целой картошки в масле с укропом и нарезанное сало на видавшей виды разделочной доске. Я не голодна, но как-то само собой втягиваюсь и ем, ем. Так сладко, бездумно и спокойно здесь, что не хочется двигаться. Застыть среди этих солнечных теней, запахов и людей, которые родились миллионы лет назад вместе с этой землёй — и с тех пор не расстаются. Ни они с ней, ни она с ними.

Славина жена хлопочет у плиты. Заваривает чай.

Вскоре возвращается и сам Слава. Сообщает, что всё в порядке — мне везёт. Сват собирается выезжать сегодня в ночь. И не возражает против попутчицы. «Язва» его, мол, покобенилась. Но как узнала, что да как, так вроде и ничего. Так что кушай спокойно, а потом отдыхать — моя тебе уже постелила. В машине-то особо не выспишься. Рукомойник у крыльца. Удобства в саду, увидишь, там дорожка идёт. А мне машину ещё надо на базу отогнать, ну и там, то да сё...

От простыни чуть уловимый запах сена, цветов и дёгтя. На экране закрытых век, чуть подсвеченном белизной комнаты, чередуясь с плывущими пятнами, кругами и полосками, проявляются какие-то странные пейзажи, контуры лиц, и лишь однажды вспыхивает долина, залитая голубым светом незнакомого солнца. Усталость и покой, как родные сестра с братом, навоевавшись за день, затихают, обняв друг друга за плечи...

К вечеру приезжает сват — Николай — «со своей язвой». Нина оказывается вполне миролюбивой молодой женщиной. Задорной и неглупой, на первый взгляд. А вот Николай... Эх, мужская солидарность! Есть такие мужички — от них ощущение как от кучи хлама в углу. Выбросить жалко — и приткнуть больше некуда.

Прощаюсь со Славой и его милой женой. Оставляю московский телефон, мол, если что — остановиться негде или город показать, — всегда буду рада. Заставляют взять деревянный лоток черешни — жёлтой, моей любимой — и персиков кулёк «в дорогу». Сват, конечно, гундит, мол, места нет, но потом пристраивает «к своей». А «своего» у него набрано столько, что бедная «копейка» грозит прилечь пузом на асфальт.

В общем, отбываем.

Останавливаемся каждые вёрст триста — баллоны проверить, масло. И двигателю дать передохнуть-остынуть. По нужде. Да перекусить сухомяткой. Нечего особенно рассказывать.

После ночи Нина всё больше глазеет по сторонам. Только «ох» да «ах» да «у нас не так». А ближе к Москве и вовсе замолкает. Устали все. Да и большие города у тех, кто мало с ними знаком или не знаком вовсе, вызывают реакции в виде тихого почтительного трепета или ярмарочного скоморошества, что в данном случае одно и то же. И призвано скрыть подсознательный страх путешественника, оказавшегося в мире иных правил и традиций. Иной культуры. Культуры, в которой вопрос, с какой стороны разбивать яйцо, остаётся актуальным со времён Гулливера и по сей день.

Черешню оставляю, под предлогом, что неудобно нести. Николай за дорогу все уши прожужжал, что в Москве черешня — валюта лучше водки. С ней он, мол, всё что хочет достанет.

С Ниной расцеловываемся, как старые подружки. Телефон тоже оставляю. Не очень хочется, но так правильно. Макс давно ещё рассказывал, что на карельских да мурманских дорогах, если у тебя что в пути приключилось, не надо, как у нас, скакать да руками махать-голосовать, пока какой-нибудь пенсионер от скуки к обочине не примет поинтересоваться. Первый же, кто бы ни ехал, остановится. Будь ты с машиной закипевшей или так — пешим ходом. Северяне знают толк в жизни. Может, и не добрался бы Ломоносов до столицы, коли не было бы такого понимания и взаимовыручки у северных людей. У них всегда есть нечто большее, что объединяет, кроме слов и правил, — голод и стужа...

Спасибо вам, Николай. Спасибо вам, Нина. И Славе с Ларисой привет от меня и спасибо. До свидания! И здравствуй... Москва!

Москва ли это? Высадили чёрт-те где — в Кузьминках. Автобаза, мол, где-то здесь или склад, гостиница на Юных Ленинцев... так и не поняла. Ну, Кузьминки и Кузьминки. Метро, оно тем и хорошо — где бы ты ни был и куда бы ни собирался — всё рядом. Такой город. А кто запамятовал — советую прокатиться до Симферополя и обратно на беременной черешней и персиками «копейке». Тогда маршрут Ждановская–Кунцево — как из передней на кухню пройти покажется.

К Максу — на Колхозную. Там, где-то во дворах Колокольникова переулка. Глаза вспомнят. Ещё не поздно... Хотя «поздно — не поздно»! О чём я думаю?! О времени? О времени, которого, может быть, уже нет. Но если не будет этого странного времени, у меня не будет чего-то значительно большего. Чего-то, без чего время, чем бы оно ни являлось и каким бы ни представлялось, — просто тиканье метронома на пыльном пианино, долгие вечера бабьего лета, осенний пожар клёнов и бесконечная седая промозглость зимы... Откуда я это знаю?.. Не знаю. Бегом в метро! Вдруг что-то напутано, перевёрнуто и он уже уехал? Где искать, как нагнать?..

Вот он — жёлтый дом. Средний подъезд со стёршейся табличкой номеров квартир. Третий этаж. Направо.

Отец, наверное, тасуя бешенство с паникой, обзванивает всех подряд. А может... Странно, что я только сейчас о нём вспомнила. А может, он уже на вокзале в Симферополе или Феодосии. Смотря что пересилило. Если паника — на вокзале. Если бешенство — вообще ничего не делает. Сидит на террасе, пьёт вино и ждёт новостей... Поймёт ли когда-нибудь? Почему было не рассказать ему всё? А поверил бы?.. А ты сама?.. Вот сейчас позвонишь, дверь откроется — и что? «Здравствуйте, Владимир Максимович! Вам не следует завтра никуда ехать. Потому что послезавтра мясорубка селя оставит о вас только добрые воспоминания. И что мне тогда делать? Всю оставшуюся жизнь выслушивать ликбезы о последствиях «первой влюблённости»?.. Да, я влюблена. Да, с моим отцом вы ровесники... Но только вы можете знать, что с этим делать. А я знаю только, что нельзя делать БЕЗ этого. Ничего нельзя»...

Дверь открывается. На пороге стоит незнакомый мужчина.

— Здравствуйте. Э-э... Владимир Максимович дома?

— Здравствуйте. Нет.

Нет!

Это «нет» совсем или это маленькое «нет»? Такое обычное маленькое «нет». Про соль, спички или даже про планы на выходные. Но не то «нет», которое даже если маленькое для тех, кто его произносит, на самом деле — огромное. Чья подавляющая бесконечность известна только тебе...

— Проходите, он скоро будет.

Не уехал! Скоро будет!

Я чуть не выкрикиваю всё это. Запертый внутри лёгких воздух вырывается через комок в горле приглушённым стоном.

— Вы, э-э...

— Лика, — быстро успокоившись, я протягиваю руку. — Мне он нужен по очень срочному делу.

— Михаил Афанасьевич, — аккуратное неловкое пожатие, двумя пальцами.

Как-то давно я слышала, как Макс говорил в компании: «В этой стране ещё не одно поколение мужчин будет мучиться вопросом: целовать женщине руку, пожимать её или уж сразу хлопать по заднице!» Это всё, мол, наследие краснозвёздных гопников и экстремистов-истеричек... Наверное, он имел в виду как раз такой случай.

— Очень приятно. Вы не возражаете, если я подожду его в кабинете?

— Я не возражаю. А возражает ли Владимир Максимович — узнаем, когда он придёт.

Вполне милый человек. Не без чувства юмора.

— Спасибо.

— Может, хотите чаю? Я только что заварил.

— Было бы здорово.

— Я принесу вам.

— Вы очень любезны, Михаил. Спасибо. А «Белую гвардию» не вы написали?

— К сожалению, нет...

Кабинетом Максу служит небольшое помещение без окон, граничащее одной стеной с ванной комнатой и получившееся в результате объединения кладовой и части спальни. Гостиная же, кухня, оставшаяся часть спальни и коридор представляют собой единое пространство — некое подобие студии. Так что уединиться можно только в кабинете, за единственной в квартире дверью, не считая ванной.

Я прохожу в кабинет и неплотно прикрываю за собой дверь.

Стол посередине. Все стены — один сплошной книжный стеллаж, от пола до потолка. Без верхнего света — только настольная лампа и торшер у кушетки слева. Вместо люстры с потолка на толстом плетёном канате свисает, размером со среднего бульдога, позвонок кита, все «крылья» которого испещрены сценками на манер наскальной живописи древних: охота на белого медведя, собачья упряжка с погонщиком, рыбаки в море и тому подобное. На отдельных полках в небрежном порядке стоят вперемешку оловянные солдатики в форме гусар времён войны 1812 года, нэцке цвета потускневшего коралла с тёмными прожилками, фигурки женщин с амфорами на головах — из какого-то чёрного дерева, медальоны, чётки, малахитовые и нефритовые шкатулки разных размеров, подсвечники с огарками, запылённые колбы, четырёхгранный штык-нож, гильзы разных калибров... Кое-где кнопками пришпилены листы гравюрных оттисков, пучки сушёных трав, ожерелья — не пойми из чего сделанные... Эдакая лавка старьёвщика. Или логово старого волшебника.

За спинкой кресла у стола целая секция застеклена, и в ней хранятся всякие сокровища: крупные прозрачные кристаллы розового кварца и аметиста, пластины яшмы и срезы малахита, ёжики бирюзы и пузыри янтаря, небольшие самородки тусклого золота, как будто запылённые неогранённые рубины, аммониты, белемниты, неизвестные мне минералы — простые с виду камни для непосвящённого...

Обитый зелёным сукном стол накрыт толстым стеклом с широким фигурным фасетом. Под ним — фотографии, в основном чёрно-белые, какие-то записки, таблицы, пара газетных вырезок. Стопки книг и журналов по краям...

Я столько раз бывала здесь. И всегда как вновь. Можно взять любую книгу с полки или со стола — и никогда не знаешь, на каком она окажется языке. Или вдруг попадётся старое издание с иллюстрациями, переложенными тончайшей папиросной бумагой. И тут же сверху на видном месте — Кодекс строителя коммунизма. Под ним офорты Гойи. «Молот ведьм» соседствует со стопкой журналов «Мурзилка». Воннегут — со справочником по радиодеталям. «Тихий Дон» — с початой бутылкой массандровского портвейна. Томик Ахматовой придавлен чёрным эбонитовым гробиком набора весов, с маленькими никелированными гирьками и чашечками на цепочках внутри...

154

Я стою у стеллажей и взглядом перебираю бесконечные предметы сокровищницы и корешки книг. Как будто руками.

— Ваш чай, Лика. И печенье, — коренастый, с лёгким намёком на лысину, вежливый Михаил Афанасьевич ставит у меня за спиной на стол чашку и тарелку с овсяным. — Не буду вам мешать.

— Спасибо вам огромное.

— Не за что, — дверь за ним закрывается.

Я беру первую попавшуюся книгу с полки и сажусь в кресло к столу. Это «Алиса...». Открываю наугад: *«Да ведь я и так большая, — грустно сказала она, — а уж в этой-то комнате мне больше никак не вырасти!»*

Что бы это значило?..

Чай вкусный. С лимоном.

Вдруг вспоминаю о папирусе, про который говорил Серёга. Интересно, наврал?..

Да нет. Вот он — как раз под тарелкой с печеньем:

«Первая Принцесса, что переступит порог этого дома, станет мне наречённой суженой». Число. Подпись.

Странно. Почему я его раньше не замечала?.. Наверное, не обращала внимания. Просто не читаю чужие записи, пусть и выложенные под стекло для всеобщего обозрения. Нет такой привычки.

«...в этой-то комнате мне больше никак не вырасти!»

Что же хотела сказать Алиса?..

А может, я и не хочу вырастать. Не хочу как они! Даже как мама не хочу. Не хочу привыкать. Не хочу расставаться с любимым даже на минуточку! Что за «дела» могут быть, чтобы не быть там и с тем, ради кого ВООБЩЕ ВСЁ ЭТО!

«Да ведь я и так большая...»

Я большая?..

Ну, да. Наверное. В каком-то смысле... А может, я и есть та самая первая Принцесса, переступившая порог «этой-то комнаты»? И я никогда не вырасту «больше». Потому что — что значит *больше*? До чего такого нужно дорасти, чтобы наступило это *больше*? Дорасти нужно только *до себя*. И тогда ты сможешь быть *здесь*. И знать... Я выросла, да. Потому что я знаю, кто я. Я — Принцесса. И всегда ею была, только не знала. А теперь знаю! Точно знаю — кто я и зачем. И теперь я *здесь*. И не «потому что», и не «для того, чтобы». Я здесь с Максом. С единственным человеком, которого... люблю! Я *здесь* — чтобы изменить всё! Пока оно само не изменило нас *навсегда*...

Дверь распахивается, и в кабинет стремительно входит Владимир Максимович:

— Ты?!.

Я

— Что-то случилось? Вы вроде бы должны быть сейчас в Крыму? Или я что-то путаю? — он прикрывает за собой дверь и встаёт напротив стола. Он спокоен. Мимолётное удивление мгновенно сменяется привычными лукавыми морщинками у глаз.

— Нет, всё правильно. Я должна быть сейчас в Крыму. И... ещё вчера я там была.

— Хочешь сказать, вернулась одна? В смысле, сама?

— Да.

— Кто-нибудь, кроме меня, в курсе?

— Отец... теоретически.

— Что значит «теоретически»?

— Мне срочно нужно было вернуться — он не отпускал, и...

— Сбежала?

— Да.

— Не буду расспрашивать, как ты добралась за сутки без денег, без билетов, которые в сезон хрен достанешь, и... Это потом, — Макс подходит к столу и отпивает чая из моей чашки. — Раз ты у меня, значит, либо я и есть причина твоего скоропалительного возвращения, что маловероятно, либо тебе просто некуда податься, так?

— Так.

— Что из этого?

— Первое... Маловероятное.

— Та-ак. Чувство юмора есть — значит, мы не из тех, от кого Бог отвернётся в первую очередь. В связи с этим предлагаю чувствовать себя более уверенно и начать рассказывать всё по порядку.

Я просто обожаю, когда Макс так разговаривает!

— Не знаю, с чего начать... — уверенность, она, знаете ли, не приходит моментально, как по мановению волшебной палочки. Или даже после успокаивающих слов единственно близкого человека.

— Начни с главного, как всегда. Или с чего придётся. Хочешь, подумай минутку — обычно помогает. А я пока закурю и попользуюсь твоим чаем, не возражаешь, Принцесса?

Это был хороший совет. Но я им не воспользовалась. И тут же начала с чего пришлось:

— Ты называешь меня «принцессой», потому что тебе просто приятно думать о той, — я ткнула пальцем в папирус под стеклом, — что «первой переступит порог этого дома»? Прости, Серёга рассказывал за столом, а я просто посмотрела, врал или нет...

Из кухни слышен телефонный звонок. Спустя несколько секунд раздаётся негромкий стук в дверь и голос Михаила Афанасьевича:

— Макс, тебя.
— Чёрт бы их всех подрал! Сейчас, — ставит чашку обратно на стол. — Никуда не уходи,

Принцесса

Он возвращается минут через пять. Берёт пепельницу со стола, закуривает, садится на кушетку и зажигает торшер.

Проходит пара минут.

— Что-то случилось?
— У меня?! Ты смеёшься?! Хотя... Да. Ты права. Похоже, теперь и у меня, — он глубоко затягивается, пристально смотрит мне прямо в глаза и улыбается. — Боря звонил.
— Тебе?

— Да уж. В чутье ему не откажешь. Сказал, что пока больше никому. Впрочем, может, и не так. Ты же знаешь — любит покрасоваться...

— Что сказал?

— Это не важно, в данной ситуации — когда он там, а ты здесь. Точнее, лишь потому, что ты ЗДЕСЬ... Дай-ка мне чайку... Спасибо. Если коротко, то я обещал перезвонить через сорок минут. Он будет ждать на почте — договорился там как-то. Мать не в курсе. Это всё, что тебе нужно знать пока. Уложишься?

— Постараюсь.

— Может, тогда попробуешь более конструктивное начало?

Если бы он не смотрел, как бы это сказать... бережно?.. Да. Наверное, так. Не улыбался и не был бы спокоен, как пустыня на закате, я бы умерла. Потеряла бы *место*. А все бы потом решили, что просто умерла, без всякой причины. Глупые люди.

— Ладно... Только я прошу тебя, представь хотя бы на полчаса, что волшебные силы напрочь лишили меня чувства юмора, воображения и всего прочего, чем человек априори вызывает подозрения у других людей.

— Зная тебя много лет — задачка не из лёгких!

— Я действительно очень тебя прошу. Если ты, конечно, хочешь знать меня ЕЩЁ много-много лет! — кажется, голос у меня срывается.

160

— Всё-всё. Не волнуйся. Тебе не нужно уговаривать меня тебе верить. Сам факт твоего невообразимого побега — лучшее подтверждение всему тому, что я услышу. Рассказывай.

— Значит, так. Конструктивно так конструктивно... — я достала из сумки половинки шаров, два «свитка» и положила на стол. — Вот. Эти штуки попали ко мне весьма странным образом... И в такой момент... Господи, как же это сказать?!. В общем... два дня назад я... умерла. Утонула... Но при этом как бы воскресла. Правда, тогда всё выглядело иначе... И благодарить, как я думаю, нужно не духов и богов, а непонятные свойства времени и способность как минимум одного из этих бывших шаров использовать эти свойства. И ещё... себя. Но не ту себя, что сейчас разговаривает с тобой, а ту, что всё это предвидела, подготовила и... Но неважно сейчас. Короче, воскреснув, я обнаружила у себя под носом эту кибернетическую матрёшку с письмами себе от себя! Вроде как из будущего... Фуф! Если коротко, то это всё. Чтобы понять — ты сам должен прочитать. Ты всегда говорил: «Изложи факты, а с остальным следователь сам разберётся»... Только давай ты сядешь за стол, а я прилягу на кушетку. Повернусь спиной, и как будто меня нет, ладно? А то, знаешь, это всё... Не страшно. Нет. Просто настолько необычно, что вроде бы даже и страшно. Но это не обычный страх. Это как во сне... Но другого сна нет. И яви нет. Так что сравнить не с чем. Это сон, который, получается, создала я сама, и он размером со вселенную. А что можно сделать со вселенной? Она же, блин, бесконечна! Можно, конечно, попробовать вывернуть наизнанку... Но это трудно — выворачивать наизнанку что-то, к чему не знаешь даже с какой стороны подступиться. Потому что это можно сделать, только вывернув наизнанку собственное сердце. А я ещё не совсем привыкла начинать жизнь каждую секунду сначала. Но я привыкну. Обещаю. Ты же знаешь — я быстро учусь. И тогда мы вместе будем читать и говорить об этом... И смеяться, и плакать. И возможно даже, через те самые двадцать лет мы узнаем, почему и как, и может быть, даже наконец отправимся в путешествие в ту прекрасную Голубую Долину... Всё это — возможно. Я вижу! Потому что... Потому что нет конструктивного и неконструктивного. Всё конструктивно!.. Не хочу даже вдумываться в смысл этого слова! Это ужасно!.. Стоит только на секунду задуматься, что я могла пройти мимо. Молча пройти мимо, осознавая, но не понимая. Не принимая и не являя себе и миру то, о чём следовало бы кричать прямо в Млечный Путь! Пройти и так никогда и не сказать тебе, что

люблю

...Спать на кушетке — это, я вам доложу, то ещё удовольствие.

Но это когда спишь. Или пытаешься заснуть.

Я же хочу совсем другого. Исчезнуть, раствориться. Без мыслей, без сознания. Выключиться. Чтобы потом включили, а уже всё позади. Меня поят горячим молоком с овсяным печеньем. Мною гордятся и всё знают. Не так, как им могло бы показаться, а по-настоящему — так, как знаю теперь я сама. И Макс держит меня за руки. И я знаю — так будет всегда. И огромный орёл несёт нас над Голубой Долиной...

Боже, как я хочу выключиться! Но сорок минут, сорок минут... Успеет ли прочитать, понять, осмыслить... Принять решение?

Я чувствую себя царицей Персии — и последней трактирной шлюхой. Мерлином, зачарованным мудростью богов, — и неофитом, возводящим чтение молитвослова в ранг катарсиса. Я обнимаю весь мир — и таюсь незримой пылинкой на просторах Казахских степей... Я так хочу потеряться и найтись. Я так хочу этого, что... у меня получается!

... — Вставай, соня, — чья-то тяжёлая тёплая рука лежит на моём лице, и большой палец гладит переносицу. Я открываю глаза, сажусь, и мои ладони тут же оказываются в руках Макса. Он сидит на краю кушетки. — Выспалась, путешественница?

— А молоко... тёплое молоко?

— На столе.

— Правда?

— Клянусь всеми тайнами царицы Савской!

— Сколько времени?

— Достаточно.

— Ты позвонил?.. Прочитал?.. Ты...

— Тише, тише. Всё в порядке, Принцесса. Так или иначе, но всё в порядке, — он подаёт мне чашку тёплого молока со стола.

— Вставай. Приводи себя в порядок, я жду на кухне. Перекусим и всё обсудим, — он отпускает мою руку и поднимается. Но я чувствую, что на самом деле он не отпускает. То, что теперь существует между нашими руками, незримо тянется следом, когда он выходит из комнаты. Я почти что вижу это. И знаю, что эта связь крепче всего. Крепче наших тел, крепче сомнений и переживаний, крепче забытья вечности и её же бесконечной памяти. Это и есть сама память мира. Потому что вместе мы теперь то, что люди называют Богом. Как это могло произойти? Когда?.. Не знаю. Видимо, так оно и было всегда. И мы *знали* это, но... не знали. Понимали, что знание — сила. Но не доверяли и не решались. Не действовали, а потому не ведали, что сила — это

покой

... — Скажи мне только одно. Когда шар «вернул тебе то время» — он вернул... твою смерть?

— Когда я не боюсь думать об этом, мне кажется, что да. Но когда пытаюсь охватить это «да», начинаю бояться...

— Расскажешь?

— Лучше напишу. Судя по всему, у меня есть к этому предрасположенность.

— Да уж...

Мы в гостиной. Я на диване. Макс на полу около моих ног. Я пью кофе с молоком и ем печенье, а он смотрит в окно. Рядом на полу — телефон. Трубка снята, лежит рядом, и из неё тихо льётся бесконечный ливень коротких гудков.

— Я, пожалуй, дал бы обет молчания лет... на пять, скажем, чтобы быть с тобой тогда... там.

— Мы здесь. Всё здесь. Нет никакого там... И тогда.

— Я понимаю... Понимаю, понимаю, понимаю... Но не больше. Чёрт!

— Я просто люблю тебя.

Так легко и спокойно вдруг становится говорить об этом. Такая жизнь теперь в этих простых на вид словах. Как взмах крыла огромной и доброй птицы. Как море. Как мягкая шёлковая леопардовая шкура ветра. Даже как скала, чьё время заключено в кристаллической решётке живого тела камня.

— Знаешь, девочка моя, когда я, глядя на тебя, мечтал, что ты могла бы быть моей дочерью... я не ошибался. Подожди, подожди. Дослушай! Но думал ли я, что у моей дочери должна быть мать? Нет. Никогда. Только сейчас понимаю, что никогда. Ты знаешь, то твоё первое начало, первый вопрос, помнишь? Как это ни парадоксально, он всё поставил на свои места — «принцесса» или Принцесса? Не дочь, не мать, не жена, не... А Суженая. Я же сам это когда-то написал! Значит, знал! Что за странный симбиоз мы представляем из себя?! Знаем, но развешиваем это неделимое чувство клочками на новогодних ёлках по чужим гостиным, ради блестящего эффекта. Понимаем это, но вместо простого прямого приятия — отдаёмся на откуп иллюзии пресловутой веры! Господи, неужели все млекопитающие такие же кретины, как мы?! Нет! Никогда не поверю, что киты или там дельфины могут устроить посреди океана собрание, где на повестке дня будет стоять вопрос, например, о «нравственном облике» Моби Дика! ...Ты — Принцесса. Тебе всё простительно. Быть таким существом, как ты, — это дар. Но я-то! Кривляюсь душой, изображаю воинствующего эстета, где-то на дне нечестности пряча в неразличимых для толпы одеждах нерешительности правду. Правду о том, что единственное существо, ради которого я спустился в этот мир, должно кануть на задворках памяти, как записка под стеклом, только потому, что створки слишком узки и стены слишком высоки. Слишком люди... Ты ешь, ешь. И прости меня...

166

— За что? — слова как-то по-новому, нерешительно, но одновременно сильно и нежно вытекают из меня.

— «За мир без границ»[1], поиски которого — как шоры для нервной души. Когда я читал эти письма... Перечитывал и перечитывал... Я как будто переставал быть человеком. Умирал и жил. Вспоминал и перевоссоздавал! Мужчина умер — и мальчик наконец смог оторваться от земли к звёздам. И вся шелуха, как глупый воск деревянных крыльев Икара, облетела. Но я не упал. Я вернулся. Понимая, что никуда и не уходил. Понимая, что лишь позволял себе играть в то, чем обязан был жить. Каждый миг. Каждую крупицу времени. Собирать и собирать эти крупицы. Впитывать их в себя порами. Твои крупицы, Принцесса. Твои, моё единственное любимое существо. Господи, да меня теперь в пот бросает, как подумаю, что кто-то может жить в этом мире без любви! Без того — из чего по крупицам и соткан этот мир!

Ты ведь мне расскажешь? ВСЁ расскажешь, правда? Я уже чувствую его. Оно уже во мне. Но я хочу увидеть. Прожить всё с тобой. Ты ведь подаришь мне то, без чего я умру завтра, Принцесса? Должен был умереть...

Макс резко поднимается и подходит к окну. Я оборачиваюсь, любуясь его движениями, нервностью фигуры и новым для меня выражением глаз

---

[1] Ироничный намёк на одноимённое общественное движение.

и лица. Как будто на жестокие чёрные скалы мира опрокинули с небес чан нежности. И они упруго залоснились, сохраняя твёрдость воронёной стали. На моих глазах Тьма рождала Свет.

Как тогда, среди барханов на окраине посёлка с поэтически звучащим названием Айгене, воздух вокруг вдруг заструился слоями. Отдельные нити напоминали туман. Другие — как серебряные струны. Третьи — чернее бархатных вспышек неожиданной ночи. Нити овевали фигуру Макса на фоне провала оконного проёма. За которым, как будто из тех же струй, сплеталась странная картина: широкий уступ большого утёса, огромная — наверное, в три человеческих роста — птица, похожая на орла, сидящая на краю, и женщина, стоящая спиной к нам, с развевающимися волосами, облокотившаяся на крыло...

— Ты всегда была моей девочкой, Принцесса.
— Да, мой

король

... — Скажи мне, что с экспедицией.
— Всё нормально. Ребят отправил. Сказал, задержусь на пару дней и нагоню. Объяснил, что и как счёл необходимым. По минимуму.
— А они?
— Обозвали меня новым пророком и укатили.
— Поверили?

— У них нет выбора, моя Принцесса. Не знаю, стоит ли тебе когда-нибудь постигать уроки субординации, но это порой очень забавно. Поверили или нет, но местные власти предупредят со всем рвением молодых сердец о возможных последствиях землетрясения. Те не смогут не прислушаться: один из моих — сейсмолог с регалиями. Да я ещё письмо состряпал для солидности от конторы. Так что как минимум дороги перекроют и спасателей оповестят. А Михаил Афанасьевич — сразу на водохран к гидроузловским, он их там измордует своей интеллигентной непосредственностью. Может, и успеют что предпринять. Уровень спустят, чтобы давление в верхней части ослабить, или ещё чего. А нет, так хоть эвакуируются спокойно.

— А если не будет землетрясения?

— Значит, мы боги. Изменили мир, — он засмеялся. — Точнее, бог. Я даже имя придумал — Малик. От МАкса и ЛИКи.

— Нет. Если не будет землетрясения, ты не подумаешь, что всё это...

— Боже упаси! Я буду только рад — одним бедствием меньше. А что до глупых сомнений, что, ты подозреваешь, могут родиться у меня в голове, то я теперь почему-то с трудом могу представить себе саму процедуру сомнения. БЫЛО же то, что БУДЕТ, правда? А будет оно или нет, теперь важно только до степени спасения нескольких жизней. Но никак не для Малика. Вероятности — штука неуловимая. У меня у самого пока не всё в голове ровно, как высокогорное плато. Но Малик справится. Ведь это он и порождает эти вероятности. Господи, да я тысячу раз за ночь умирал в этом сéле! Стоило лишь на миг представить, что ты не нашла бы себя! Или же мне бы всё-таки просто повезло и я «всего лишь остался бы жив»! И снова блуждать неведомыми краями, что в первом случае, что во втором. Блуждать в темноте и кричать: «Малик! Малик!» И ждать, когда тьма откликнется светом! Бррррр... Прости меня. Я сам только что родился. И я родился нами... Владимир Максимович ещё пытается общаться со мной, но я чувствую, что он уже на грани принятия обета молчания. Так что наше новое имя лучше пока не озвучивать никому — а то в психушку упекут. А нам как-никак подарок преподнесён. Его ещё разменять надо. Двадцать лет — не кило гороху. Тут ещё и о здоровье надо бы позаботиться... А Мáлик, кстати ещё, по-арабски — властвующий. То есть король, царь. Как тебе такое наше новое имя?

— Значит, ты думаешь, что в любом случае теперь обойдётся?

— Думаю, да.

— Тогда, может, тебе медаль дадут!

Мне вдруг становится весело.

— Дадут-то дадут. Да спрос начнётся такой, как будто вагон золота в тайге припрятал. Хотя... Может, и рассосётся. С нашей-то бюрократией...

170

— А мы?

— А НАС пока придётся закамуфлировать. На этой планете, в этой отдельно взятой стране, существует масса бумаготворческих гадостей, в которых ни на йоту не предусмотрены правила, как законодательно общаться с богами. В особенности если один из них представляет из себя два так себе вполне с виду человеческих тела. Причём одно — тело несовершеннолетней девицы — учащейся 10-го класса средненькой такой школы. А второе — слегка поношенное и вот уже два дня как небритое сорокалетнее тело вашего покорного слуги.

Макс подходит сзади к дивану, чуть склоняется и обнимает меня за плечи, беря мои ладони в свои и прижимаясь лицом к волосам.

Если бы я уже не умирала, то, наверное, испугалась бы. Ибо когда такие разные тела одного Бога сливаются — одно-единственное огромное сердце Малика на миг останавливается. Прежде чем сделать свой первый вдох. Вдох нового существа, родившегося во вселенной.

Макс отрывается от меня, обходит диван и садится на пол напротив:

— Можно, конечно, плюнуть совсем-совсем на всё, сбежать и романтично, как дети ганджубаса, бегать по полям за кратковременной порцией счастья. Но ведь это до первого куска хлеба, которого не окажется у нас на завтрак, правда? Нет уж. Мы сделаем иначе. Мы всё сделаем так, чтобы ни одна веточка не шелохнулась, ни одна травинка не осталась примята нашими ступнями и ни один охотник или просто случайный прохожий не видел, как и когда мы покинем этот неуютный лес. И поступим мы следующим образом. Слегка перефразируя всеобщего нашего Михаила Советского Союза[1], «стойте там, слушайте

здесь»

В Симферопольском аэропорту жарко, потно и липко. Но стоит выйти за пределы здания на улицу, как на меня тут же обрушивается запахами Крым. Букетом из акаций, пыли, каштанов и пересохших без дождей степных трав. Среди всего этого, как блёстки на лёгком вечернем платье, — дымок шашлыка, облачка раскалённой на солнце резины и снова пыль. Та самая — солнечная пыль. Запах солнца.

Меня зовут Малик. Два моих тела — на одном сумка через плечо, — взявшись за руки, идут к стоянке. Один из старых моих приятелей обещал встретить и отвезти в посёлок на побережье, к

---

[1] М.М. Жванецкий.

моему отцу — крепко сбитому, высокому, умному человеку. Порой немного горделивому. Может быть, даже иногда нерешительному в житейских вопросах. Но, с другой стороны, кто там разберётся в мыслях, что копошатся в головах этих странных неполных существ. У которых всего по одному телу. И мысли их половинчаты. И чувства недальновидны. И стремления пугливы. Но некоторые из этих существ близки мне. Сходными ритмами сердца. Правилами, которые мы вместе выдумываем для совместных игр. Так получилось, что мы оказались близки в бесконечном потоке жизни. Как вода оказывается близка другой воде, закручиваясь в уютной заводи маленькими водоворотами, порождёнными основным течением. Так бывает всегда. И приходит новое половодье. И новая вода, смешиваясь с застоявшейся, становится другой. И новые водовороты в новых заводях и стремнинах создают забаву или опасность для существ, далёких от восприятия вечности.

Крым — очарователен. Запахом солнца, камерностью, приветливостью, открытостью линий. Я ещё никогда не был здесь. Как в маленьком театре, глаза фокусируются на играх света и теней. Вот игрушечная гроза с ливнем, похожим на большую душевую лейку, проносится над шоссе, где мы едем. И клубы пара над асфальтом акцентируют цветочные нотки в степном аромате дороги.

А вон на сопке вдалеке развалины каменных стен. Если захотеть, то внутренним взором можно перенестись к ним поближе. И тогда видно, что каждый камень из кладки до сих пор хранит отпечатки рук трудолюбивых существ, приплывших издалека со своими семьями, чтобы жить здесь.

Толстые — с руку — стволы лозы старого виноградника. Пристально вглядевшись, увидишь мощную кропотливую работу, которой солнце внутри лозы преобразует частицы своего времени и времени земли, выбрасывая на поверхность лишь результат своих трудов — крепкие, полупрозрачные, сочные бусины ягод времени текущего.

Прибрежные скалы хранят память о вспышках и кипении недр. Об облаках обжигающего пара и пепельном снеге. Прикасаясь и проникая в кристаллические решётки их времени, понимаешь, что всё это случилось только вчера.

Море — смешением вод помнящее тень птицы Рух на своих просторах. И сами воды, хранящие память о том, как первый свет рождался из тьмы.

Дома и сады, набережные и террасы, аллеи и колоннады — искрятся песчинками времени неполных существ, что отдавали их, как дань, — белизне небес и щедрости вод. И одно из этих существ сейчас ждало меня. Ждало среди раскалённого камня дорожек и прозрачной тени садов. Ждало, чтобы просто прикоснуться. Прикоснуться и поверить, что это не сон.

Но я, Малик, должен буду уснуть на время. Я, новорождённое существо вселенной, должен уступить. Негоже пугать божественными стихиями неполные существа. Даже если вы близки и ритмы ваших сердец постоянны *здесь*. Даже если одно из этих существ — твой

отец

... — И что вы от меня хотите?

Надо отдать отцу должное. Внешне он сохраняет полное спокойствие. Хотя можно представить разрушительные размеры смерчей, что бушуют у него внутри. Ещё бы. Сначала твоя дочь сбегает за тридевять земель без объяснения причин. Потом твой друг возвращает её, и вы договариваетесь не тревожить пространство информированием третьих лиц. А теперь вот, сидя на гальке вечернего пляжа, выясняется, что он должен дать им своё родительское благословение!

Просто они, видишь ли, «поря-а-адочные», признают и принимают его право как отца, и всё такое... Да они спятили! И он спятил — раз допускает даже мысли о подобном! А о чём подобном? Ну, Макс — старый ловелас, у него там этих студенток-аспиранток под боком — пруд пруди. Только свистни. Молятся на него, и безо всяких претензий. А тут Лика...

Совсем, что ли, под сраку лет крыша поехала! И эта дурёха к нему рванула вдруг ни с того ни с сего. Зачем?.. Клянутся-божатся — оба лбы уже порасшибали, — что ничего не было. Даже не целовались. Чертовщина какая-то! Либо где-то обманывают... Да нет. Клянутся, что школа, институт, совершеннолетие — всё как положено. А это ещё три года всё-таки... Может, не обманывают. Так в чём же загвоздка?.. Макс чудной, как не в себе. Но не на взводе. А как-то необычно... Новости по радио услышали о землетрясении каком-то — чуть приёмник не проглотили, так вслушивались. Макс потом на почту убежал — звонить. А Лика вся аж сияла, как надраенная. Спрашиваю, мол, что случилось? Жертв нет, говорит. И плотина какая-то целая. Ну и что, спрашиваю? Да ничего, НИКТО, говорит, не пострадал. С ударением так. Я ей, мол, в Африке каждую минуту ребёнок от голода умирает. А она — так Африка это где. Может, её вообще нет, этой вашей Африки. Я там, говорит, никого не знаю. А здесь, спрашиваю, знаешь, что ли? Знаю, отвечает. И купаться убежала...

— Мы не хотим, мы просим, — Макс стоит у кромки воды и методично пускает «блинчики». — Есть вещи, которые трудно объяснить. Я и сам голову бы уже сломал в догадках и подозрениях, Борь, будь я на твоём месте...

— Ты не на моём месте, Володь. Мы с тобой в младые годы за одной лаборанткой вместе ухлёстывали, а теперь ты к моей дочери сватаешься! Я почти уверен, что кто-то из нас спятил. Только ещё не определился кто. Лика? Мелочь пузатая. С неё спрос, как с младенца за плохое правописание. Я? Видимо, да. Я спятил. Что до сих пор обсуждаю эту тему. Но ты! Ты!!! Если даже на секундочку допустить, что это не всплеск гормонов со стороны моей малолетней дочери и не удачно подвернувшийся кризис твоего сорокалетия, то... у меня нет ни одной рабочей версии!

— Она спасла мне жизнь, Борь.

— Ага. Я, правда, не понимаю, как она это ухитрилась сделать... Но даже если это так! Гипотетически. Ты что, взамен теперь хочешь одарить её своей дряхлостью в расцвете её лет? Сильно смахивает на медвежью услугу!

— Ты не понял. Она спасла мою Жизнь. Это больше, чем просто избежать смерти.

— Я не понимаю. Действительно не понимаю!

— Борь. Позволь нам хотя бы не услышать от тебя сейчас отказ. Три года до совершеннолетия — всё-таки большой срок...

О Макс! Старая, хитрая лиса. Дать моему отцу то, на что он всегда втайне рассчитывает, — не принимать решение СЕЙЧАС! Что дни и годы вновь рождённому Богу! Пыль для моряка! «Гормоны», «кризис среднего возраста»... Господи, как же ограниченно знание неполных существ! Гормоны, что ли, заставили семидесятисемилетнюю женщину пойти на неизвестное рискованное мероприятие — искать себя среди песков времени?! Или кризис среднего возраста уговорил Макса поверить и принять то, во что бы не поверил ни один нормальный человек. Видимо, он — кризис — сейчас нашёптывает ему правильные слова в разговоре с моим отцом. Видимо, гормоны пригнали его в этот богом забытый крымский посёлок, просить у отца руки любимой женщины. Вместо того чтобы сливаться в экстазе в стенах своей московской квартиры с чокнутой малолеткой!

Я не вмешиваюсь в разговор, сидя рядом на полотенце, чтобы не подливать масло в огонь. Но, похоже, приходит пора:

— Знаешь, пап. Ты можешь не воспринимать мои слова всерьёз, ссылаясь на стереотип «малолетства», но кое-что я всё-таки тебе скажу. Во-первых, не волнуйся. Гормоны подождут. И алчный призрак кризиса сорокалетия не будет преследовать меня по тёмным подъездам. А во-вторых, хочешь ты этого или нет, нравится ли тебе это, но со мной всегда теперь будет единственный близкий человек. Любимый человек. Человек, чья жизнь неразрывно связана с моей. И если для того, чтобы, как говорится, соблюсти приличия, требуется подождать каких-то несчастных три года до совершеннолетия, чтобы потом просто хлопнуть дверью и никогда не возвращаться в дом своих единственных в этой жизни настоящих друзей — я говорю о вас с мамой, — тогда не верь нам. Сомневайся. Ты же не поверил, когда я просила отпустить меня. Ты не поверил и в то, что я просто сделаю то, что необходимо.

Макс подходит ко мне, садится рядом на корточки и берёт мою ладонь в руки. Отец поднимает от земли голову и смотрит на него:

— Слышишь это?
— Слышу.
— И как тебе?..
— Она другая, Борь. Не такая, как мы. В ней сила. И с ней не совладать. Её можно только любить. А о приличиях пускай черти в аду на скамеечке калякают. Я пришёл к тебе просить благословения. А не снисхождения или смирения, понимаешь? БЛАГОСЛОВЕНИЯ. И поверь, больше, чем нам, оно нужно тебе. Покой в сердце и радость за двоих людей, которые в кромешной тьме вселенной по одному неслышному зову сердца нашли себя. И удивились. А удивившись, увидели, что удивлению нет предела.

— Вы психи! Чёртовы психи! Я постарел за эти два дня, наверное, лет на двадцать! — Мы с Максом переглянулись. — Делайте что хотите! Но если мать хоть что-нибудь пронюхает раньше времени... Хоть маломальский повод... Удавлю обоих, вот этими руками!

Последний «блинчик» прощёлкал по бесконечно спокойной глади вечернего моря и неслышно свалился где-то вместе с водопадом брызг с края условной линии, обозначающей

горизонт

— Я пойду провожу Макса. Он уезжает.

— ...

— Что?

— Ты вернёшься?

— Пап, ты что, ненормальный?! Конечно, вернусь. В теннис же договорились сегодня постучать. Я уже соскучилась.

— Я-то нормальный! Наверное, я последний нормальный на этой планете, который не понимает, но пытается поверить в то, что бывает то... чего не бывает.

— Именно за это я тебя и люблю. Не волнуйся, скоро буду...

Я Малик.

Вновь пробуждённый, я иду по кипарисовой аллее. Среди благоухания роз с лёгкой примесью запаха прелых водорослей с мола на набережной. И моё первое желание: нарвать эти аккуратные круглые шишечки, растрескавшиеся неровными шестигранниками, отполировать их, покрыть лаком, нанизать на шёлковую нить и надеть на шею женской половины себя... Было бы забавно.

Второе моё желание: вынырнув из синеватой черноты ночи под последним фонарём аллеи, вскарабкаться на невысокие, толстые, неровно оштукатуренные и побеленные стены открытого кинотеатра и, подпевая несущейся из скрытых за спиной колонок «Roma Che Fa Te Innamora»,[1] прижаться всем сердцем к мужской половине себя... «Ах, Моцарт, Моцарт! Когда же мне не до тебя?» И кто б ещё имел терпенье? В печали мнятся бо́льшие забавы. Ах, гении земли! О, скоморохов нравы: вертеп молитв и сумерки веселья... «Садись; Я слушаю...»[2]

И третье моё желание: пронестись над кипарисами, почти невесомо отталкиваясь ногами от их вершин, и взмыть в слепые небеса ночи. *С высоты птичьего полёта бухта и долина кажутся мне в свете восходящей луны очень знакомыми...*

---

[1] Песня из к/ф «Безумно влюблённый» (1981) в исполнении Адриано Челентано, парафраз на выходную арию из «Севильского цирюльника».

[2] Поэтический парафраз с использованием цитаты из А.С. Пушкина «Маленькие трагедии» («Моцарт и Сальери»).

Глава четвёртая:
Двадцать лет спустя

Неукоснительно следуя велениям сердца, рано или поздно пожнёшь плоды разума.

— Мы столько раз говорили об этом... Двадцать лет... Несуществующих лет. Это так забавно! Прожить за спиной у Бога тайно наполненными. И при этом среди всяких разных вещей, мыслей, чувств... Прячась, но не скрываясь. Играя свои роли, по придуманным не нами правилам, в сказке, силой иллюзий транслируемой в пространство, которое остальные просто проглядывают на экранах своих глаз. Эдакий вселенский синематограф! И в то же время наслаждаться реальными плодами...

Они вышли за ворота и прикрыли калитку. Над лесом прогудел дельтаплан с мотором. Или как там правильно называются эти летающие мопеды?..

— Скоро Москва и сюда доберётся по полной программе. Сто пятьдесят вёрст им уже не помеха!

— Не злись.

— Водки им ближе выпить негде!

— Вот дались они тебе! Ты собакам воды налил?

— Конечно, налил. Животные лучше людей!

— А ты меня любишь?

— Очень.

— Но я же человек!

— Кто это тебе сказал?

— Как это?

— Ты моё маленькое животное!

— Ты сам — животное! Дед уже дряхлый, как паспорт ни крути. А ведёшь себя как пацан — раздражаешься на каждого комара.

— Ненавижу насекомых. Только богомолы нравятся. Не знаю почему. Странные они какие-то... Но лапы у них! Поймают — считай, всё, пропал! — Макс подхватывает Лику под мышки, легко приподнимает и целует в нос.

Они идут по укатанной тракторами стерне, опоясывающей поле меж двух перелесков. Далеко зá полдень. Луг зелен и цветист. Но на деревьях видны первые признаки бабьего лета: струйки жёлтого на фоне крон берёзовой рощи вдали; редкие ещё, как будто стыдливые, маковые пятна клёнов...

Двадцатилетие «Большого Побега» — единственный по-настоящему семейный праздник — было отпраздновано уже несколько недель тому как. Тогда же вышло время таймера, и затвор освободил внутренний миниатюрный механизм «таблетки». Теперь её можно было открыть... Страшно? Да нет. Любопытно? Несомненно. Открываем? Подожди, подожди... Давай ещё подумаем. Всё что угодно может произойти. Мы же не знаем. Как провалимся в какую-нибудь дыру без времени... Или, не дай Бог, один из нас! Хотя... Что ж я — дура совсем, что ли... ну, та я, что... ну, ты понял... И тому подобное.

Первые три года — до свадьбы — чуть ли не каждый день обсуждали. Судили-рядили... дым коромыслом! Макс так хотел испытать на себе эти «странные» свойства времени, что за пассатижи хватался... еле удерживала. Потом понемногу успокоилось.

Малик обживался среди людей. Не то чтобы... но жить-то как-то надо. Планета маленькая. Совсем спрятаться негде, вот и приходилось подстраиваться. Но наш юный Бог учился быстро. Был мудр не по годам — не кочевряжился. Раз уж пока так — значит, пусть будет так. Разумно, согласитесь.

Но двадцать-то лет — срок немалый... Грустно звучит, правда?..

А вот и не грустно вовсе!

Игнату через месяц уже шестнадцать. В честь прадеда назвали. Отец был доволен. Мать не дождалась. Не дождалась даже того, чтобы знать... Привет, мам! Теперь-то ты понимаешь, как тяжело что-то объяснять людям, пока они... В общем, я знаю, ты радуешься за нас. Не уверена, хотела ты этого или нет, но прах твой после кремации мы отвезли на Волгу и развеяли там, в окрестных полях под Калязином. Ты всегда с любовью вспоминала об этом *месте*. Надеюсь, я тебя не подвела...

Отец последние четыре года живёт с нами. Уговорили наконец. Иногда по вечерам они с Максом играют в шахматы. Но нет-нет да проскользнёт что-то во взгляде. Так, видимо, у него и не связались какие-то ниточки узелками. Я догадываюсь, конечно, какие. Но вида не подаю. Никто не знает про Малика. Но всегда есть люди — особенно близкие, — которые чувствуют что-то. Просто понять и объяснить даже себе не могут. Вот и случаются у них минуты сомнений. Сомнений, в которых они тоже сомневаются. Жалко... Жалко, что не со всеми случается Бог... Но нам хорошо всем вместе. Малик — он мудрый. И даже не открывая себя, может являть всякие маленькие приятные чудеса. Особенно для близких. Тех, чьи ритмы сердца постоянны *здесь*.

То ручку отцовскую любимую — мамин подарок — в густом малиннике разыщет — зачем уж тот её в лес таскает, неизвестно. То Игнату рифмы или образы какие к месту подбросит — тот пишет что-то в блокнот. Часто. Взахлёб. Пойди за мыслью-то угонись! Тут без помощи никак... Максу вот шнурки разок на берцах развязал. Аккурат метрах в десяти от оползня. И за полминуты от него же... Мне иногда цветы к утру на столик туалетный ставит. Да не розы, хоть у нас их и полно — целый розовый сад. А странные какие-то — с длинными нежными голубыми лепестками. На ирисы похожи, но только не ирисы. Где уж берёт — не знаю. Жаль только, не стоят совсем. Я глаза открою, аромат вдохну, как издалека. Из-за морей неведомых. Или даже из-за звёздных туманностей... А они уж и тают. Не вянут, нет. А тают. Прямо на глазах. До десяти досчитаешь — и ваза уже пустая стоит...

Из нас всех только Игнат любит поговорить на эти темы. Это его желание понять можно. Когда поговоришь — и записать проще — слова вроде сами подворачиваются. А там поди разбери — сами не сами... Понимаешь ты это или нет — не важно. Чудесами дышат. Зачем их понимать...

— Давай вон там!

— Почему там?

— Смотри, какой странный контур крон — похоже на нос корабля! И там тень — будет прохладнее...

— Закатный пух небес
Чуть замер просеки поверх,
    Где раскустился молодой орех...
И лес,
    Как нос галеры — величавый, –
        Деля собою неба склон,
Высокий стих рождал качаньем
    Своих теней...
И молча он
    Напоминал о сказке тайной,
        Сокрытой сонмищем ветвей
В пыльце времён...

Макс декламирует медленно и громко. Лику
всегда поражала эта его способность к момен-
тальной импровизации:

— Я говорила, что люблю тебя?
— Не помню.
— А я говорила тебе, что ты гений?
— Я — гений!
    Что мне красота!
Дары волхвов и тени лет
    И парусиновый небесный свод...
Всё — суета,
    Сомнений нет!

— Ну хватит! — Лика смеётся и бежит через
поле в сторону опушки.
— Стой, девчонка! Под ноги смотри — тут всё
перепахано! — Макс бросается следом.

— Ну всё... — добежав до опушки, она останавливается и тяжело дышит. Лицо раскраснелось. Коротко подстриженная, с сияющими глазами, в лёгких льняных шароварах и рубахе, она похожа на мальчишку-сорванца. Что для забавы прячется и убегает от взрослых, но всё равно рад, когда его находят или ловят.

— Она сказала, чтобы я отошла на двадцать шагов...

— Подожди, подожди... Вот деловая! Дряхлому дедушке нужно перекурить, отдышаться, собраться с мыслями...

— Да-да-да! Собирайтесь, детки, в кучку — дядя Макс сейчас пошутит!

— Вот неуёмная!

— Так собрались уже — чего тянуть-то!

— Чего-чего... — Макс садится на траву и достаёт сигареты. — Собрались. Только вот куда?..

— Видимо, предполагается какая-то штука, как тогда с шаром.

— Да мало ли что ТОГДА! Учитывая тем более, что оно вовсе не *тогда*, а скорее *там*, или я бы даже сказал: *как*... А мы *здесь*! Как провалимся куда-нибудь за кадр... А у нас собаки не кормлены, папа старенький на плечах, «сын двоечник, за кооперативную квартиру не уплачено»[1]...

— Папа старенький... Бе-бе-бе! Кто бы говорил! Ты что, боишься?

[1] Из к/ф «Кин-дза-дза». Реж. Г. Данелия, 1986 г.

— Принцесса! Я тебя умоляю! Мне безумно интересно! Только я не понимаю — почему открыть «таблетку» должен я, а не ты?

— А мне кажется, я догадалась...

— Может, поделишься?

— Думаю, она... в смысле, та я хочет посмотреть, какой ты... Ну, со мной *здесь*... Или что-то вроде того. Это женское.

— Да?

— Думаю, что так.

— Женское, говоришь... Она же ведь — это ты... только без меня... странно. Не знаю, как об этом думать. К такому трудно подготовиться... — Макс щелчком выбрасывает недокуренную сигарету. — Ну, если только посмотреть...

— Давай уже, хватит рассуждать. Я пошла.

Он хочет ещё что-то сказать, но машет рукой и садится на корточки. Лика, отойдя вдоль опушки на предписанное расстояние, останавливается, задирает вверх голову, раскидывает в стороны руки и смотрит в небо. Такое прозрачное-прозрачное, такое голубое-

голубое

По инструкции, данной в письме, следовало повернуть верхнюю часть диска относительно нижней против часовой стрелки на четверть оборота.

С двадцати шагов не видно, что делает Макс, но я сразу понимаю, что он открыл. Воздух вокруг него вдруг затрепетал и как бы заполнился лёгкой дымкой в радиусе приблизительно метров восьми-девяти, почти подбираясь к краю леса.

Вместо зелёного луга внутри образовавшегося тумана смутно проступает вид ровной каменной площадки — уступа большого утёса. На площадке две фигуры. Одна — огромная. Наверное, в три человеческих роста. Вторая — обычная. Силясь разглядеть, я непроизвольно подаюсь вперёд. Картина становится немного яснее. Уже можно понять, что большая фигура — это птица, сидящая на краю уступа. Похожая на орла, но совершенно невероятных размеров. Вторая фигура — человеческая. Женская. Она стоит спиной, чуть облокотившись на огромное крыло. Её длинные волосы развеваются, хотя на лугу в этот миг застыл недвижимый густой послеполуденный зной...

Разглядывая странные тени, я на несколько секунд отвлекаюсь от Макса. В это время он поднимается и делает пару шагов навстречу призракам.

Мне кажется, что из полупрозрачного тумана, как сквозь вату, доносятся какие-то звуки. Женщина-призрак медленно поворачивается. Макс поднимает руку в приветственном жесте...

Стараясь хоть что-то разобрать, я непроизвольно делаю шаг вперёд.

— ...да уж, время-то идёт.

— Никуда оно не идёт, Владимир Максимович. А если и идёт, то во всех направлениях сразу. Сообразно только и исключительно силам притяжения-отталкивания внутри закона сохранения, как и любое вещество.

— Вещество... Хм... Сколько ни пробовал — никак не удаётся примерить этот кафтанчик на себя.

— Ментальность вторична. Анализом и сопоставлениями тут ничего не добиться. Узнать что-то по-настоящему можно, только пережив. Условное время — иллюзия, сохраняемая людьми ради психического здоровья. Но жизнь не может воздействовать на условности и манипулировать ими — и наоборот. Настоящее же время, как и любое вещество, не проходит и не исчезает. Оно претерпевает изменения.

— Так претерпевание не философская категория?

— Отнюдь. И вообще, философскими категориями люди назвали для себя лишь наиболее важные поводы для размышлений. Так, чтобы не запамятовать. Не более того.

— Так что же случилось?

— Случилось? Хм... Неправильное определение. Происходит. И происходило всегда. С одной стороны — люди являлись носителями иллюзии времени как событийного ряда. Какой-то самолюбивый мерзавец придумал это в незапамятные времена с явной целью приправить вкус власти новыми ароматами. С другой стороны и изначально — внутренняя энергия человека настолько сильна, что создаёт вокруг носителя незримое индукционное поле, говоря знакомым тебе языком.

— Двадцать шагов?

— Ты всегда отличался сообразительностью, Макс. Да. В плане эффективности — это двадцать шагов.

Благодаря этому полю реальное вещество времени притягивается и концентрируется вокруг источника энергии, то есть человека. До момента полного одурманивания иллюзией условного времени это происходило осознанно и избирательно. Человек был с миром заодно. Другой стороны медали просто не существовало. Естественный ход вещей был синонимом жизни. Не было необходимости в зеркалах. Ибо отражение одновременно являлось прототипом. «Грань» обозначала ещё одну возможность, а не границу. И вообще, все эти -ицы, -измы и прочии -ции — блуждающие огоньки иллюзий. Заплутав в лукавой простоте чужой воли, подкинувшей им линейную модель развития — как, не напрягаясь, оставаться в живых, — люди растеряли способность естественной избирательности и единого с миром дыхания. Но не стали слабее. Индуцированное поле их внутренней энергии всё так же продолжало притягивать частицы времени. Но хаотично и без меры. До тех пор пока каждый человек не стал представлять из себя плотный кокон из вещества времени. В центре которого безмятежно спал он сам, пребывая в иллюзии условного хода вещей.

В мире же — по закону сохранения вещества — вещество времени меняло свои свойства. Для простоты можно сказать: разрежалось. И с какого-то момента жизнь во всём многообразии своих воплощений разгуливала вокруг людей по планете. Но лишь немногим по тем или иным причинам удавалось разглядеть за туманом оболочки кокона *собственного* времени — запомни этот термин, — что же на самом деле происходит. И лишь единицам из этих немногих удавалось избавиться от кокона, погасив, а точнее, перенаправив в себе источник индукции, бесконтрольно притягивающий и уплотняющий вокруг них частицы времени. И избавившись, они тут же отправлялись в путешествие. Ибо вновь начинали слышать зов. Человек созвучен естественному ходу вещей. СОЗВУЧЕН, понимаешь? И глупо — ввиду всего вышеизложенного — было бы говорить о каких-то незамысловатых «перемещениях во времени». Возвращение к истокам вещества требовало готовности к преодолению трудностей и даже опасностей пути. Но всеохватывающая новизна зовёт нас. И она же пугает. Но от страха границ избавляет не факт их пересечения. Страх сам — иллюзия...

193

Ох, люди, люди!

Все эти «сны в руку», «дежавю», «предощущения»... Конечно, время существует «здесь и *сейчас*». Тут иначе просто не выскажешься. Но кто! Кто, позвольте спросить, рекомендовал зачислить его в «измерения»?! В некую условную сетку, призванную лишь увеличивать энтропию сравнительных характеристик в человеческом мозгу? Как можно пользоваться условностями в реальном мире? Да никак! А веществом — можно и нужно.

Зачем помещать в ускоритель щепку берёзового полена? Ускоритель — точнее, результаты, которые он показывает, — это поэзия! Остриё понимания. Точнее — попытка понимания вещей, которые нам только ещё предстоит пережить. Всё хорошо само по себе. Ускоритель — для мифотворчества. Полено — для печи.

В реальном мире нет никаких «философских категорий». Есть только вещество. Вещество, вещество и вещество!

Неужели не понятно, что, заперев пар, а позже и горючую смесь, в ограниченном пространстве с цилиндром и червячным приводом, мы окольным образом манипулировали веществом?

Но кто вспоминает об этом, паркуя свои лимузины перед фешенебельными отелями? Или когда откапывает джип с помощью лебёдки, домкрата и лопаты из солончака на очередном этапе ралли? Да разве что только какой-нибудь чудаковатый поэт от механики. Всегда находятся те, кто, зная о правилах, живёт по собственному усмотрению. И это вовсе не означает перерождения в «антисоциальную личность». Скорее это создаёт предпосылки к обнаружению тайных троп жизни. Якобы тайных. Потому что любая тайна состоит в основном из нашего опасения ступить в незнакомое место. И все жалкие потуги сводятся лишь к разговорам о «стремлении». Вместо реализации естественного желания. А мир хитёр. Заметь, Макс, не лукав, а хитёр. И вместе с открытием тайн делает существу прививку «челентанизма» — непреодолимую тягу к розыгрышу. Это внутреннее свойство не имеет ничего общего с высокомерием. Тем и подкупает. И даёт в руки «фокуснику» козыри манипуляций. От Аристотеля до Гурджиева, от Архимеда до Эйнштейна, от Платона до... — стоп, этого вы ещё не можете знать. Но не важно. Вот она, эволюция трюка!

Но манипуляция веществом влечёт за собой манипуляцию сознанием, а не наоборот. Или не так, как думаешь? Неужели это принципиально? Импульс, заставляющий вещество совершать манипуляции с самим собой, — это и есть то качество, что люди готовы приписать кому угодно — некоему Творцу, например, — но только не себе.

Но использовать мысли нельзя. Пока они не вещество. Нельзя использовать время, пока оно не вещество. Назовите всё, что не можете понять, «мистическим атомом» вселенной, если дань самолюбию невозможно не выплачивать. Или «универсальной частицей». Подмените пустоту условных «измерений» дровяной печью реального вещества.

Даже если где-то в чёрной дыре тяжёлого плотного времени всё застынет, замёрзнет на миллиарды условных лет, втянет в себя, сбалансирует... Значит, где-то рядом или в другом месте что-то взорвётся, ослепит яркой вспышкой быстродействия, распространится. И между этими «где-то» и «где-то» возникнет граница сред. Но не как непреодолимый барьер, а сама по себе — как новая форма. Дальше как обычно: взаимопроникновение — будет множить формы без числа, стремление к покою — воевать с инерционными процессами, «змея укусит свой хвост», «хвост завиляет собакой», собака выспится на стогу сена — и вся эта видимая бессмыслица служит одному единому принципу — вещество таким образом хранит память об узнавании себя. Спросишь, для чего? Да чтобы использовать. Таково свойство жизни. Таков её способ хранить информацию о самой себе. Так что использовать, использовать и использовать! Вот что стоит за кадром «жажды познания». Будем честны. Большего от нас и не требуется. А меньшее — невозможно. Нечестность — фигуральное понятие. А в реальности нет места «способам описания». Есть место только самим способам!

Как ещё можно понять, что время «будущего», время «прошлого» и «настоящего» — суть одно!

Почему кирпичи для постройки гаража, купленные тобой *вчера*, которые попадут в кладку *сегодня* и которые будут верой и правдой служить *завтра*, для тебя — суть одно. А *время* этих кирпичей — разное?

Оно не разное. Оно — одно! Одно, ибо это время *этих* кирпичей! Они состоят из него тоже. А не только из глины, песка, воды, красителей... Из чего там, чёрт возьми, ещё состоят кирпичи?!

А *что есть твоё* время? Мысли о нём? О чём?.. Об изменении условных координат? Или о веществе времени, из которого сделаны кирпичи твоего гаража?!

К чёрту мысли! Когда есть вещество, всё, что может сделать с ним любое осознающее себя существо, — это воспользоваться. Сунуть его в печь. Не горит?.. Плыть в нём. Никак?.. На ощупь его... Кайлом! Нащупал границу? Да нет же! Всего лишь то, что тебе ещё предстоит пережить.

Вещество бесконечно. Но формы-то его имеют пределы и очертания. Как бы мы иначе могли ими пользоваться?

Если время кирпичей — это только *их* время, то, может, время человека — это только его *собственное* время?

Понять это, выключить «катушку» — и вещество разлетится, как пыльца. Спросишь, куда?.. В этой вселенной что, некуда пристроиться малой толике вещества?! А если потом опять включить «катушку» — «пыльца» опять соберётся? Это ведь вряд ли будет *та же* пыльца. А если вообще больше не включать?.. Понимаешь, о чём я?

— Ты смогла?

— Что, выключить катушку? Да. Не сразу, но смогла. И отправилась в путешествие.

— Куда?

— Туда, где я, как мне казалось, упустила что-то важное. Туда, о чём было принято говорить «ушло навсегда». Надо признать, это было нелегко...

— Что?

— Понять, что изменить ничего нельзя.

— Тогда как же...

— Не перебивай. Ты внимательно слушаешь, но невнимательно чувствуешь. ИЗМЕНИТЬ ничего нельзя. Но можно ТВОРИТЬ! Богами не рождаются. Богами становятся. В тот момент, когда акт творения открывается любому существу не «осознанной необходимостью общественной пользы», да простят меня апологеты марксизма, а неудержимым желанием пойти туда, не знаю куда, и может быть — принести с собой то, не знаю что... А у меня был хороший стимул — я видела твою смерть. И как раз совершенно не знала, куда с этим идти. А от мыслей, что я могла оттуда *принести,* и вовсе в дрожь бросало...

Разве ж я понимала тогда, что творец не в ответе за свои деяния. Его деяния в ответе за него. Такая вот обратная сторона метаморфоз... н-да. В рамках религиозных догматов — Бог пообещал всем спасение. Погорячился. Но в горячности его есть и известная доля хитрости. Прежде чем прийти к кому-то на помощь и спасти, он сам должен быть СПАСЁН своими творениями. Трудно даже представить, что бы я сейчас представляла из себя, не будь вы такими, какие вы есть — чистыми, смелыми, любящими, великодушными... Так что не я спасла, создав. А вы спасли создателя. И он теперь свободен. Метаморфоза вещества закончена. Цикл завершён — и цикл открыт. Таков ход вещей. Что тут ещё скажешь...

И, кстати, когда я поняла, что у меня получилось, грешным делом, подумала: а не взяться ли за дело в производственных масштабах? Подучить пару-тройку «адептов», раскурочить время там, сям... Может, и в консерватории что-нибудь само поправится. Но потом поняла — не хочу. Просто не хочу. Как тот журнал за полтинник в помощь детям Германии. Сотворив вас, я воссоздала и себя. Точнее, завершила... как фундамент. А когда фундамент закончен, остаётся только строить на нём дом. Но каждый — сам творец своего *дома*. Что толку, если всё поле будет заставлено фундаментами, даже с самыми благими намерениями — ипотечными?! Смешно, да?..

Прости за сумбур. Знаешь, многие представляют себе творца эдакой всезнающей самодовольной сущностью, позволяющей себе что *заблагорассудится* свысока — в прямом и переносном смысле. Мало кому приходит в голову, что, общаясь со своими творениями, он делает это либо из любопытства... Либо опасаясь за своё собственное здоровье, если можно так выразиться...

Всё это так забавно, как бокал молодого игристого в минуту радости, и так печально, как рюмка старого портвейна среди густой звёздной ночи... И оба этих чувства подобны. Вино жизни — оно и есть вино жизни...

— Сколько же вам... тебе сейчас лет? То есть, — Макс замялся, — я хотел спросить, откуда ты? Точнее...

— Я поняла. Не смущайтесь, Владимир Максимович. Глупо чувствовать неловкость, интересуясь у дамы условным промежуточным возрастом её бессмертной души. Особенно если детство и юность тела последней не прошли для вас незамеченными... Я уж и забыла совсем, что это значит. Ужас как забавно! — она смеётся. — Когда началось моё путешествие, дай бог памяти, в 2046 году, биологически-условного времени моему телу было семьдесят семь лет. Это было так много дел назад, что уже и не важно совсем.

— Лика, ты выглядишь, как тридцатилетняя молодая женщина...

— Ах, увольте, мой дорогой. Вселенная сама заботится о красоте своих созданий, когда ты с ней накоротке, догадываешься, о чём я?

— Предполагаю... Так вы... ты хочешь сказать, что бессмертие — вещь достижимая?

— Зная, о чём ты спрашиваешь, скажу: нет. Тело обязательно износится и умрёт. Хотя проживёт по условным меркам достаточно долго. Может, пятьсот лет. А может, тысячу. Но кто считает эти дурацкие года? Разве что выжившие из ума раввины! Дела важнее времени. Их непрерывная цепь, их плотность, если хочешь, важнее любых оценок... Да и с философской точки зрения бессмертие не может существовать. В этом мире вообще не может быть «бес» или «без», как ни напиши. Только «с». Отрицание — непозволительная роскошь. Так что смерть есть. Вопрос только, ЧТО она есть... Умирает дерево — его пилят на дрова, дрова сгорают в камине загородного дома прекрасной пары как-то осенним прохладным вечером — пока хозяева пьют вино, греются у огня, болтают, занимаются любовью... Золу рассыпают под розовыми кустами. Следующим летом юный сорванец — их сын, — нарезав красивый букет, спешит в большой город на свидание и дарит его очаровательной леди. Вечером, у себя дома, перед сном юная барышня вдыхает этот потрясающий аромат любви и неги и засыпает. Ей снится сон: страна, в которой они все живут, разорена войной и бедствиями. Юный кавалер — погиб. Дом его родителей — пепелище... Она в ужасе просыпается. Но лишь еле уловимый запах роз напоминает о том, что мир был таким, каким она его помнит. А сейчас она одна. И приторный запах золы щекочет ноздри. Её кавалер погиб, дом его родителей — пепелище... Она умирает и видит сон: на следующий день после первого свидания они гуляют в парке. Бабье лето, но ещё жарко. Они пьют холодный лимонад, смеются, болтают. А потом едут за город — знакомиться с родителями. По дороге они встречают дровосека, везущего в их дом дрова для печи и камина, — вечера нынче прохладные... Вопрос: было ли это то же самое дерево?.. Смерть порождает смерть, продолжая жизнь. Жизнь порождает жизнь, отдавая дань смерти. Так где же граница и есть ли она вообще, скажи мне? Ты ведь уже знаешь ответ на этот вопрос, правда? Вспомни, что ты почувствовал, когда читал моё письмо?

— Всё, что угодно, кроме страха. Может, действительно некоторую забавность...

— Нет. Не это главное. Ты же поверил! Что заставило тебя поверить?

— Ты...

— Нет, Макс, не я. Она.

— Не могу отделаться от странного, даже, наверное, слегка пугающего чувства — я вижу сейчас перед собой свою... жену. Но только вижу. Пусть волосы другие... одежда, это странное существо рядом с тобой... Дело не в этом. Я вижу, но не чувствую!

— Это логично. Я не твоя жена, Макс.

— Разве такое возможно?!

— Ты так и не понял. Я — совсем другая. Твоя жена, ещё не будучи ею по законам формальных ра-

202

мок приличия, познав последнее откровение жизни, осталась *здесь*. Не без моей помощи, конечно. Но это не парадокс, как принято считать. Просто один из вариантов хода вещей. Ты никогда не задумывался, что слово «вещь», которое мы употребляем, не задумываясь, ежедневно по нескольку раз, и «вещество», что используем значительно реже, — однокоренные?.. Это риторический вопрос.

Вмешавшись в *ход вещей* по причинам, которые теперь даже я склонна называть безумными, я выступила — не подозревая тогда об этом — в роли творца. Воздействовав на вещество времени, я открыла новые пути жизни и воспользовалась ими. Я могла лишь предполагать последствия. Именно поэтому склонна теперь иронично относиться к собственным действиям. Ведь это была дурость чистейшей воды. Видимо, я отыгрывалась за все недопережитые страхи и превозмогания, и ещё... я очень хотела изменить мир. В одном конкретном месте. Уже потом я поняла, что, начитавшись в детстве всякой научной и прочей фантастики, втайне рассчитывала на реализацию какого-нибудь из популярных «парадоксов». Что-нибудь вроде «петли времени» или перераспределения событий будущего при избирательном воздействии на причины в прошлом... Но вместо этого я сотворила новый мир. Даже два! И насколько бы трудно тебе ни было понять это, но ты видишь перед собой ОДНО существо. А сзади, в двадцати шагах, у опушки, прислушивается к нашему разговору совсем ДРУГОЕ. Мы похожи. Может быть, даже подобны. Это как «близкие люди». Близкие ритмом, восприятием, моторикой... Но разные.

— Хорошо, я могу допустить разделение вещества, даже гипотетически универсального... Но душа?!

— Вот мания всё персонифицировать! Клетка делится. Есть ли искра божья во второй клетке? «Бунт земли» и «Разум клеток»![1] Классика. Всё было... Было, было и было... И есть! Клетка — РОЖДАЕТ клетку. Душа — душу... Что есть душа? Эманация. А что есть эманация? Заэманировали мозг уже этой метафоричностью до предела! Есть только вещество. И неисчислимые свойства его. Некоторые кажутся обыденными, некоторые чудесными. А некоторые — божественными. В область же «божественного» мы просто склонны задвигать всё настолько непостижимое — читай: для людей неосязаемое — и якобы недоступное, что ответ очевиден. Мы делаем это по той же причине, что когда-то заставила нас принять иллюзию условного времени за истину — чтобы облегчить себе жизнь. Смиряемся, прикидываясь победителями. И только не говори мне об известных догматах: «душу даёт Творец». Я сама теперь Творец.

---

[1] Сатпрем. Названия книг.

Посмотри на меня — ты говоришь со мной. А теперь оглянись и посмотри на неё — её ты любишь. Хочешь сказать, кто-то из нас бездушен? Не смеши мои престарелые кости, Макс! Если что-то не можешь понять — постигай. Это значительно упрощает дело. И заодно упорядочивает все неувязки, связанные с Творцом, вообще богами, их сыновьями и прочим религиозным бытом бытия...

Прислушиваясь к разговору, я чуть ли не воочию наблюдаю, как новый узор выкладывается у меня в голове под воздействием её слов. Место гипотетических представлений занимают прямые ощущения. И эти ощущения говорят о какой-то новой связи. О непостижимой разумом степени родства. Родства такой глубины и силы, что пресловутая ответственность, долг или ещё что-нибудь смешное из атрибутики «отношений» выглядят на этом фоне, как детальки детского конструктора на строительной площадке космодрома. Я, как будто впервые, чую, чем пахнут звёзды. С истоков Млечного Пути звёздный ветер доносит до меня юный аромат сверхновых, пряную тяжесть красных гигантов и голубоватые брызги белых карликов... Сердце и мысли непроизвольно тянутся навстречу этому космическому бризу, и я делаю ещё один шаг навстречу...

Лика с улыбкой грозит мне пальцем.

— Не сто́ит, сестрёнка. Иначе всё разрушится, растает. Точнее, перетечёт. Но будет выглядеть, как я сказала. Мы не можем делить здесь одно и то же время на двоих. Так что больше не приближайся.

— Хорошо... Ладно... Значит... мы тоже можем?..

— Говорить?

— Да.

— А кто сказал, что не можем? В моей инструкции речь шла лишь о том, что ты не должна приближаться более чем на двадцать шагов.

— Почему?

— То, что я делаю со временем, вам пока недоступно. А ты вообще — отдельная история. Я могу блокировать, точнее — консервировать время Владимира Максимовича. Но твоё — нет. Мы — порождение друг друга. Подобие разности. Линейная константа нелинейной функции. Но... разве «трудно быть Богом», сестрёнка?

— Скажи мне только одно. Тогда... когда шар вернул мне утраченное время, это было... была смерть? Я *действительно* умерла тогда?

— А ты разве не *знаешь*?

— Я просто хотела...

— Человеческий мозг — фарисей из фарисеев! Дуализм — его конёк! Но этот конёк примитивен и прост, как деревянная лошадка под хохлому в «Детском мире»... И лошадка говорит тебе: если ты боишься услышать в ответ «да», то — нет.

— А если...

— Уверена, что ты не боишься? Уверена, что готова умереть за знание?

— Да.

— Это пóшло... — Она с лукавой усмешкой наклоняет голову и смотрит на меня исподлобья. — За знание нужно жить, а не умирать!.. И это утверждение не менее пóшло! Глупый розыгрыш с моей стороны, прости. Но теперь я скажу тебе «да». Ты отправилась туда, что принято называть «последним путешествием». Они отчасти были правы — те дураки, что выдумали это определение. Но лишь отчасти. Это действительно *путешествие*. Только не «последнее». И не первое. Путешествия бывают только *разными*! Уж кто-кто, а мы-то с тобой знаем в этом толк. Не ко всякому путешествию можно быть готовым, но дóлжно быть в *готовности*... Это ведь не совсем одно и то же, правда? За мной лишь бóльший опыт формулировок — «сын ошибок трудных», — но ты *знаешь*. Знаешь напрямую, что есть только дела. И смерть — лишь одно из них. Невелика важность отправиться в путешествие. Велика — готовность отправляться в них вновь и вновь! А правила? Что ж с того! Они есть везде и всегда. Старые, добрые, уместные и своевременные — да простит меня мать-природа за невольную тавтологию — правила! Не лезть на скалы в шлёпанцах и купальнике, согласна? Удивляясь непостижимым вещам, принимать их как должное — это ведь так естественно, правда? Не впадать в отчаяние с первого по третий день, understand? Ах да! Ещё не сжимать колени со страха так, что некоторые могут задохнуться прямо на лету, верно? — Она толкает локтём жёсткое крыло огромной птицы. Та в ответ коротко клекочет. — Я ответила на твой вопрос?

— Так значит, смерти нет?

— А я с кем сейчас так долго разговаривала? — Лика вздёргивает левую бровь.

— Так значит, есть?

— Конечно, есть! Что тут такого! И я есть. И блики времени, и паруса, и вода, что убила тебя, и скала, которой на тебя наплевать, пока лет через тысячу она не сообразит, что это было, и серый дождь в сером пространстве, падающий бесшумным водопадом с кромки горизонта и... даже он есть! — Она снова крепко, но с видимой нежностью пинает локтём птицу.

— А это кто?

— Это мой друг. Настоящий. Настолько, что я и не знала, что такое бывает! Уж сколько я ему нервов потрепала своей тупостью! Вот приблизительно как ты мне сейчас.

— А разве бывают такие...

— Такие большие друзья?

— Птицы...

— Ну, знаешь ли, птица птице рознь. Впрочем... А ты как думаешь, бывают?

Я ещё раз недоверчиво кошусь на огромную фигуру. Та, видимо почувствовав мой взгляд, а скорее подыгрывая, оборачивается и корчит очень смешную физиономию. Ровно настолько, насколько может себе позволить любая птица, будь она воробей или шестиметровый монстр, — вздёргивает вверх голову, открывает клюв, высовывает длинный острый язык, закатывает глаза и издаёт хрипящее шипение. Лика хохочет.

— А теперь ты должна завопить что есть мочи: «Сгинь! Сгинь, исчадье ада!»

«Исчадье ада» перестаёт гримасничать и отворачивается.

— Так что? Есть или нет?

— Похоже, есть...

— Похоже! — передразнивает она меня. — Похоже, что жила-жила себе пожилая женщина... Да что там говорить — семьдесят семь — прямо скажем, дряхлая старуха. Как паутина в чулане... Как семьдесят семь кувшинок на волжском плёсе.

Как семьдесят семь берёз на холме. Как семьдесят семь банок бабушкиного персикового варенья... Так она думала, разглядывая через щели между досками того самого чулана собственные воспоминания. Думала-думала, а потом её осенило. Зачем, как вор, подглядывать за собственной жизнью! Эдак ещё и до титров дело дойдёт! А потом «end» во весь экран... А за стенами чулана свет, копошение, ветер... И тогда старая женщина решила — паутина паутиной, но паучка-то никто не приговорил сидеть тут и подглядывать через щели. А то и не заметишь, как засохнешь. Подумала она так и выкарабкалась из чулана наружу.

— Ты умерла?

— Все вот думают, что избежать смерти — это трюк. А может, смерть сама по себе трюк. Как думаешь?

Думать в этот момент я не могу. И в образовавшуюся паузу тут же вклинивается Макс.

Я всегда догадывалась, что мужская конструктивность — она всегда немного более конструктивная. Если глубина и философия момента не поддаются осмыслению, мужской разум тут же переключается на детали. Видимо, рассчитывает, что со временем и вся картина сложится:

— Но как возможно, чтобы мы общались сейчас?

— Если бы я пыталась объясняться вашим языком, точнее, проистекающими из него понятиями, то я бы сказала, что это запись. Но это не совсем так. Точнее, совсем не так. Вы сами поймёте всё очень скоро. Но я всё же попробую растолковать. Тем более что это впоследствии облегчит вам задачу понимания вообще. Я как бы позаимствовала ЭТО время *здесь*. Украла, если хотите. Потом примерила на себя. И заперла в специальной шкатулочке с часовым механизмом, чтобы встретиться с вами *здесь* же. Ваше-то время — всегда с вами... Такие вещи известны людям издревле. И народец, который изготавливает всякие подобные предметы времени для дела и даже для шутки, — очень забавный. Вы обязательно познакомитесь с ними.

— То есть если я правильно понимаю, то все эти «параллельные», перпендикулярные, эфемерные, сомнительные и прочие миры — это реалии, создаваемые манипуляциями вещества? Одно из ключевых свойств которого — время?

— Что-то вроде того. Если представить вещество абсолютно свободной субстанцией, то время — это одна из ипостасей. Одна из возможных метаморфоз. Действительно ключевых. Основополагающих. Тут за примерами далеко ходить не надо. Чисел-то тоже всего десять. Или символов рунического алфавита — двадцать пять. Семь цветов — рождают бесконечную вселенную спектра.

Семь нот — лагерный шансон или «Лунную сона-
ту»... Представь себе время, как и представлял его
раньше, — условной сеткой. Линейной и поступа-
тельной. Вот ты вышел из пункта «А» и пошёл на юг.
Время пошло, как говорится. А если ты повернул
на запад? С точки зрения условной сетки ничего
не изменится — она атрибут твоего сознания и по-
вернёт вместе с тобой. Но что происходит с реаль-
ным временем? Размышления над ответом на этот
вопрос внесут некоторые колебания в «энергообе-
спечение временного кокона», являющегося для
тебя сейчас полным подобием условного времени... Попробуй. Может, если ты сможешь повернуть
достаточно быстро, — успеешь заметить момент
перехода. Вещество инертно. Оно всегда подстра-
ивается под тебя, но не всегда успевает это делать
вовремя, своевременно. Смешно пользоваться
словами... Имеющий желание увидеть — увидит.
Я здесь — отчасти потому, что для вас лучше один
раз узреть, чем тысячу раз уговаривать себя поверить. В этом мире не во что верить. Можно знать
или быть слепым. Спроси у своей жены, Макс. Она
часто заглядывает в эти разрывы: между знанием
и верой, между условным восприятием и метамор-
фозами вещества. Разве не так, сестрёнка?

— Мне всё время снится Голубая Долина...

— Эта долина здесь, подо мной. Вы скоро вер-
нётесь сюда. Потому что ты уже была здесь. Ты

создала этот мир, а я лишь подправила детали. Когда я покину его — путь для вас откроется.

— А ты? Мы сможем ещё когда-нибудь встретиться?

— Мы можем. Но встретимся ли?.. Кто знает. А встретившись, узнаем ли друг друга? Может, я муравьём перебегу стёжку перед тобой. Или ты скользнёшь первым лучом солнца по розовому кусту. Метаморфозы вещества неисчислимы... И запомни, Принцессам не снятся сны. Смотри! — Она что-то кричит, и огромная птица вдруг срывается с края уступа, разметав свои совершенно невообразимые крылья. И тень от её полёта, как по дну быстрого ручья с очень прозрачной водой, рисует следом слегка размытую картину. Очень знакомую картину: небольшая долина, вырываясь подобно реке из теснины могучего хребта, пологими холмами сбегает к безбрежной воде. В тени несопоставимо огромных деревьев внизу видны каменные постройки с большими открытыми террасами и крышами, крытыми чем-то наподобие черепицы, круглой и цветной. Похожей на перламутровую чешую морских рыб. На берегу бухты — у обычной с виду деревянной пристани — несколько лодок. Если, конечно, можно назвать лодками эти причудливые конструкции, похожие на гигантских водомерок, «лапы» которых чуть касаются воды, а вместо «тела» — веретёнообразные открытые гондолы.

Одна из шхун выходит на большую воду. Лепестки прозрачных пирамидальных парусов выброшены вверх и в стороны. Лодка пересекает бухту необычайно быстро и легко. «Лапы» прогибаются или выпрямляются в такт порывам ветра и волне, создавая нужное сопротивление. Это нельзя назвать плаванием. Это *парение*. Где все движения стихии и самой лодки настолько гармонично связаны, что кажется, нет места опасностям, вызову... Это даже не спорт — нет и не будет выигравших и проигравших. Нераздельное движение... Из-за потемневшего от туч горизонта вырываются сполохи шторма. Не привычные — болотно-жёлтые. А скорее бирюзовые, с фиолетовыми языками молний. Солнца не видно — оно за спиной. Но понятно — именно его голубой свет меняет фон всего пейзажа с привычно-карамельного и тёмно-малахитового на ярко-кварцевый и стремительно-бирюзовый. Лодка бесстрашно вылетает из бухты навстречу поднимающейся волне штормового моря. И даже отсюда — с зелёного марева луга — я слышу смех и громкие возгласы тех, кто управляет изящным веером парусов. И голоса эти кажутся не просто знакомыми. Они — как внезапный сон в минуту усталости. Как пробуждение в берёзовой роще. Как дрожащая в руках нить воздушного змея, парящего в верхних потоках. Как упругая мякоть цуката... Как рука, тянущаяся к руке...

— Нам пора прощаться. В долину с моря приходит гроза, — голос Лики смешивает звуки и краски, и картина растворяется в полупрозрачном тумане. Откуда-то из-за её спины действительно доносятся глухие раскаты. — Ох уж эти электрические дела! Моих способностей пока не хватает, чтобы регулировать сложные сочетания видоизменённого вещества... Да вот — чуть не забыла. Возьми, — Лика протягивает Максу конверт. — Поможет немного развеять печаль расставания.

— Так мы больше никогда не сможем... — В голове у меня крутится шипящий шар размером с футбольный мяч. Только что мне казалось, что нет ничего естественнее и незыблемее, чем стоять здесь и разговаривать обо всём на свете. Огромная кокетливая птица, похожая на орла. Моя старшая сестра Лика, узнавшая тайн и чудес вселенной, наверное, больше, чем травинок на этом зелёном лугу. Макс, чьё любопытство, жажда жизни, любовь и преданность сотворили Малика. Я — блёстка Вселенной на платье Млечного Пути. И растаявший мгновение назад вид долины, подсвеченной сполохами далёкой грозы и голубоватым нежным светом незнакомого солнца...

— Никогда — оно *где-то*, — перебивает Лика. — А значит, где-то в другом месте есть и *всегда...* И не забудьте перевести стрелки часов!

— Куда? — хором кричим мы с Максом.

— Вы такие стали серьёзные! Уф! — Она смеётся. — Это шутка. И самое смешное здесь то, что все эти чёртовы часы ходят, даже если времени вообще нет. Вот это действительно парадокс из парадоксов! Жутко смешно, правда?! Тикающие погремушки для взрослых детей...

Последние её слова тают вместе с туманом. На зелёном лугу остаёмся только мы с Максом. Среди звона кузнечиков, писка мелких пичуг в орешнике, улыбающегося солнца и эха недоумения парочки полёвок, что, очухавшись от страха, обнаруживают себя на краю пустой широкой площадки горного утёса, обрывающегося в Голубую Долину...

Последнего, разумеется, видеть мы уже не

можем

Несколько мгновений спустя Макс, стоя рядом, платком промакивает Лике глаза и вытирает щёки. Слёзы бегут забавными ручейками и капают на её рубашку, оставляя тёмные пятна.

— Ты ведь видел, да? Ты был *там*! Значит, ты видел, а не просто смотрел, как я?..

— Видел, девочка моя. Всё видел... Я не ожидал... То есть ожидал чего-то там... Представлял... Но... Я расскажу тебе. Обязательно расскажу. Не плачь. Я люблю тебя.

— Я не плачу. Это другое... Само... Не слёзы... Если бы не ты, я бы стояла и стояла так. Капли падали бы мне под ноги... А я бы стояла... Пока не превратилась бы в холмик сверкающего жемчуга...

— Ну, всё, всё... Пойдём.

Они молча идут обратно через поле. Огибают лес. За оврагом на косогоре виден их дом. Собаки, издалека почуяв приближение хозяев, затевают радостную брехню.

Проходя мимо поваленной сильным ветром ещё в середине весны берёзы на опушке, Лика вдруг останавливается:

— У нас же есть бензопила?
— Есть, а что?
— Давай распилим эту берёзу на дрова.
— Деточка, у нас дров — две ядерных зимы можно пересидеть!
— Не в этом дело. Мне кажется, если просто оставить её гнить здесь — это как-то... неправильно. Нет, не так. Это правильно. В смысле, тоже

правильно. Но я хотела сказать, что можно оставить *всё как есть*. А можно сделать *иначе*. И не только пока что-то *живо*... буквально. Понимаешь?

— Ты хочешь, чтобы жизнь этого дерева после смерти продолжалась не сама собой, а как будто мы вмешались и изменили что-то?

— Ну, наверное, можно и так сказать...

— Этот мир был создан Смертью, дабы она обрела жизнь...[1] М-да. Хорошо, Принцесса. Будет тебе эта берёза дровами!

— Я хочу домой.

— Я тоже. Идём.

— Нет! — Лика обнимает Макса за шею обеими руками и шепчет как будто в пространство за его спиной: — Как бы ни было прекрасно это *место, наш дом* не *здесь*...

— Не совсем так, девочка моя. Не совсем так... Но я понимаю, что ты чувствуешь. — Макс стоит неподвижно и только гладит её рукой по волосам. — *Здесь* — это там, где мы. *Здесь* — это просто мы. Но если единственный способ что-то перекроить — это поменять его на «там», то — это не значит поменять *место*. Само *здесь* должно стать иным. Не просто расшириться в смысле там горизонтов и всего такого. Нет. А именно *иным*. Это можно сравнить с реконструкцией дома. Но не по причине расширения семьи или обыкновенной

---

[1] Шри Ауробиндо.

218

прихоти. А если вдруг солнце станет подниматься с севера, а не с востока, как положено. Тогда старая планировка и даже архитектура перестанут соответствовать... Я вообще начинаю подозревать, что никакого «там» нет...

— Ты думаешь, мы тоже когда-нибудь сможем? — она как будто не слушает его.

— Что?

— Ну, как она... *выйти*...

— Конечно. Учитывая, что никакая она не «она». Сначала-то она — ты. А уже пото-ом... точнее, где-то далеко-далеко — она.

— Я вдруг подумала, а если у нас получится и мы тоже захотим во что-то вмешаться, изменить...

— Зачем?

— Не знаю... Я гипотетически.

— Гипотезы — это для романистов. Не наш профиль. Нам некогда, деточка. У нас каждую минуту жизнь простаивает! Я есть хочу, собаки, вон, уже сейчас a capella запоют, Игнат завтра приедет... с девочкой — надо в доме прибрать, хотя бы для очистки совести, а Боря, наоборот, в город зачем-то собрался — просил на электричку отвезти...

— С какой девочкой? — Лика резко отстраняется от Макса.

— Откуда я знаю. С хорошей, наверное, раз по секрету мне шепнул.

— А ты мне не сказал ничего!

— Вот, говорю.

— С девочкой... Боже мой! Надо бельё поменять и полы протереть... — Она берёт Макса за руку и буквально тащит в сторону дома. — Ты мне, кстати, сколько уже обещаешь фотографии в гостиной развесить! Стены уже месяц как перекрасили... Ох, чувствую, будем мы с тобой

как два дурака

— ... мы, как два дурака, так и не узнали! Не спросили главного: как, когда?! Что там у них стряслось в 2046-м? Наука продвинулась или всеобщее просветление наступило?

Макс валяется на кровати, подперев голову рукой, и курит. Я сижу в кресле у окна, за которым глухая, глухая ночь.

Вечером мы немного выпили. И сейчас продолжаем. У каждого из нас по пузатому стакану в руке. Иначе мне было бы никак не забраться так далеко, с моими-то инстинктами жаворонка. Но алкоголь не опьяняет, лишь поддерживает в тонусе. Хотя от бутылки «Финляндии» уже почти ничего не осталось. Зато всего остального слишком много. Всегда так — слишком много всего...

— А я так и не спросила, знает ли она, как я оказалась дома в своей постели тогда — с вершины *той* скалы...

— А я хотел поговорить о геополитических процессах...

— А я — узнать, что за существа живут в пустыне и ловко прикидываются маленькими смерчиками...

— И вообще, мы даже ни слова не спросили, как она сама... Ведь семьдесят семь... пусть условных, но лет! Это ведь целая жизнь! Другая жизнь...

— Всё. Хватит. Я уже лопну сейчас от этих разговоров. Может, всё-таки прочитаем письмо? Оно даже не запечатано...

— Ты же сама говорила: потом, потом. Вечером. А уже скоро светать начнёт. Или ты имела в виду следующий вечер?

— Это не от нерешительности. Если ты на это намекаешь, хитрый лис. Это как последняя вкусная капелька, понимаешь?

— Ещё бы не понять. «Остатки — сладки». Я сам любитель, ты же знаешь.

— А сейчас я вдруг подумала: почему «последняя»?

— Да? А я вот вдруг подумал: почему «капелька»? У нас ведь что ни прецедент — так море разливанное!

— Не издевайся!

— Кто издевается, Принцесса! Я просто смеюсь. А у тебя уже сон за разум заходит. Может, отложим на завтра? Поспим немного?

— Нет. Давай сейчас.

— Ладно, давай. У нас всё равно по-другому не бывает. Всегда с подвыподвертом. Да и не думаю

я, что в этом конверте — очередная модифици-
рованная установка по хранению «божественной
искры» притаилась. Скорее всего, там просто

письмо

«Прости, моё второе письмо было, наверное,
излишне эмоционально. Но в этом — и ты была отчасти права — таился расчёт. Расчёт на то, что ты
проявишь *готовность* пойти на всё, только бы изменить, не допустить. За те минуты ты научилась
большему, чем я за многие годы.

Тогда на скале... Я знаю, что это до сих пор остаётся для тебя тайной памяти. Так вот. Тогда, на скале, всё и началось. Тогда я ещё была тобой. Но тогда
же ты перестала быть мной. Там — когда бездумно,
на пределе возможностей, вышла на «полку»...

Я всё ещё думаю, что тогда, наблюдая себя со
стороны и зная, что ничего не выйдет, я так хотела,
чтобы у меня получилось. Неужели мои мысли и
моё желание изменили всё? Когда ты оказалась на
вершине, я поняла, что ещё не всё знаю об этом
мире. Хотя, поверь, мне и тогда уже казалось, что
больше знать невозможно. Ведь я могла наблюдать себя внутри времени. Некоего «прошлого».
Но оказалось, что всё это тоже может меняться!..
Вот тогда и зародился план.

Но вещество — странная вещь. Ха-ха! Обожаю
тавтологию! То оно инертно, то быстродействие

222

его даже сравнить не с чем... Короче, что-то изменилось после того, как ты перестала быть мной. Уж и не знаю — слишком медленно происходили эти изменения или слишком быстро, но я вдруг поняла, что тебе не выбраться оттуда... *живой*. Хорошо, что я была не одна. Теперь ты уже догадываешься — с кем? Да-да. С моим пернатым монстром. Кстати, его зовут Арх. Мне пришлось доверить ему себя... То есть уже тебя. Я сама не могла быть *рядом* с тобой. По причинам, о которых ты теперь, вероятно, тоже догадываешься, — любое вещество имеет свои пространственные структуры. Нам нельзя было пересекаться. Буквально. Когда-то единая структура вещества навсегда оставила на нас свой след. Если условно называть эти структуры полями, то смешайся они — и последствия были бы непредсказуемы. Впрочем, как всегда! Ха! Жизнь забавная штука, не правда ли?.. Извини, я отвлеклась. Так вот. Он и подхватил тебя, когда ты сорвалась — или *должна была* сорваться — не важно. Но манипуляции с веществом — штука затейливая. Так что то время тоже прошло мимо тебя. Поэтому ты и *не помнишь* ничего. Но это не значит, что ты не *знаешь*. Знаешь. И вспомнишь. Это не составит труда, когда «течение времени» станет для тебя не просто избитым выражением, а реальностью. И, следовательно, — жизненной необходимостью. Хотя на самом деле ты это уже и так знаешь, интуитивно. Ощущаешь в себе.

Арх тоже стал «жертвой манипуляции», если можно так выразиться. А то как ты себе это представляешь — чудовище с размахом крыльев метров двадцать присаживается в садик перед домом, держа в клювике юную амазонку, так, что ли?..

В общем, денёк у всех нас выдался не из лёгких.

С тех пор я приглядывала за тобой по мере сил. Что ещё за коллизии выкинет мир, в котором я оказалась в новом для себя качестве? Я чувствовала себя безумно счастливой и в то же время жутко боялась. Ещё не отдавая себе отчёт в собственных переживаниях, не формулируя для себя происходящего, я носилась с тобой, как курица с яйцом, стараясь уберечь, поддержать, направить... Один только потерянный прабабкин крестик скольких нервов стоил! Как я тогда расстроилась! Но мне посчастливилось уговорить дух старого источника помочь тебе. Я спела ему песню, и он растрогался. Потом ругался, что вот уже лет двести никто не поёт ему песен. И некому послушать, как поёт он сам. Пришлось выслушать его песни. Он пел их мне целую неделю, не замолкая. Видно, натерпелся, бедолага, в одиночестве. А когда я пообещала изредка навещать его, готов был отнести тебе потерянную вещицу прямо в спальник и повязать на шею. Еле удержала. Потом мы придумали, как всё обставить, чтобы повеселить и тебя, и себя. Забавно, да? И я научилась петь. Ну, то есть не научилась, а... запела. Так будет правильнее сказать. И теперь более или менее связно могу объяснить тебе, что нужно сделать, чтобы *выйти*.

Для мыслящего человека ведь более чем очевидно, что для того, чтобы отправиться на поиски *иного*, необходимо оставить *это*. И в *этом,* и в *ином* мы всё равно подразумеваем для себя нечто, что принято называть смыслом. А для нас — говорящих двуногих млекопитающих — смысл прячется в словах. Многие преуспевали. Киплинг, например. У Лема были неплохие попытки. Но они ставили перед собой другие цели.

Так что ты должна найти СЛОВО. Любимое слово. Не в смысле «мама-папа», «дружба-любовь», нет. Всё это сначала — понятия. А потом уже слова. И они — не всегда то, что обозначают. Или что должны обозначать. Я же говорю о слове, которое тебе просто приятно *произносить*. И только. Может быть, что-то из детства... Да. Скорее всего, оттуда. Это слово может быть со смыслом. А может и нет. Не в этом дело. А в том, что оно в любом случае без ассоциаций. Они, видимо, бессмысленны. Это слово-символ. Слово-картинка. Слово-всплеск. Но оно — ключ. Ключик... Даже не так! Это слово — проводник. Лоцман. Оно проведёт тебя через что-то, минуя привычное устойчивое. Проведёт куда-то. Где нет ассоциаций, типов. Где нет системы. Где только жизнь. Без комментариев, описаний и принадлежностей. Как биение сердца, как ветер.

Но помни. Оно всего лишь проводник. Оно идёт, и ты идёшь за ним. След в след. Когда дело сделано — оно просто останавливается. Ты должна понять и не ждать большего. Попрощайся с ним, как с верным помощником, и отпусти...

Что это за слово? Не знаю. Но ты знаешь. Может быть, обычное слово, а может — придуманное. А может, просто набор букв, который звучит как клич. Или как песня. И таких слов, возможно, найдётся несколько. Но договориться ты должна с одним. С каким? Сама поймёшь. Что тебе больше по душе? Так всегда с проводниками. Один пьющий, но надёжный. Другой — дремучий, как сказочный лес, но кладезь мудрости и житейского опыта. Третий — болтлив без меры, но в деле по быстроте реакций ему нет равных... Что тебе ближе? Плоские лепёшки для «блинчиков», «куриный бог», похожий на сердечко, мутно-белые кварцевые шарики, пейзажи яшмовых нитей или просто перелопачивать тонны гальки на пляже? Я не знаю. А и знала бы — не сказала. Твоё — только твоё. Что было — включая то, что стало, — прошло. Теперь — ТОЛЬКО ТВОЁ!

Когда слово найдено — иди с ним. Произноси его. Когда нюхаешь ландыш в лесу. Когда ешь яичницу на завтрак. Когда нежишься на волне или слушаешь, как Макс с отцом стучат фигурами по доске. Когда пьёшь холодное молодое вино душной ночью или мечтаешь полететь к звёздам... Произноси. Про себя и вслух. Как когда захочется. Уговори его. Тогда оно переведёт тебя через мнимую границу. Переведёт — и оставит. Ибо в этом его единственное умение.

И вот здесь главное — не мешкать. Потому что хочешь ты или нет, но ты тут же начнёшь возвращаться. Невидимая паутина потянет тебя назад. Чтобы избавиться от неё, ты должна сделать ДВИЖЕНЬЕ. Но, как и со СЛОВОМ, — это должно быть ТВОЁ движенье. Люди ведь по-разному освобождаются от паутины? Кто нервно размахивает руками. Кто, морщась, мотает головой. Кто уклоняется, подныривает, обходит... Миллионы, казалось бы, похожих вариантов. Но любое движенье уникально. И среди них ты должна найти СВОЁ. Которое просто любишь. Которое хотелось бы совершать всегда. Которое не просто танец. Оно — его квинтэссенция для тебя. Оно пробуждает мысль и усмиряет её. Оно в твоей власти, но и само властно над тобой. Это освобождающее движенье. Сделай его. Станцуй. Там, куда приведёт тебя любимое слово, — это будет не трудно. Мысли и чувства в привычном смысле там не работают. Тебе не придётся отвечать на вопросы разума «куда?», «зачем?» и «как?». Ты не сможешь поддаться удручающим сомнениям или обессиливающей эйфории. Одного желания будет достаточно, чтобы ВСПОМНИТЬ и СОВЕРШИТЬ своё движенье.

Тебе покажется, что оно *как будто* не имеет отношения к телу. Это правда. Ведь оно и призвано скинуть с тебя паутину этого «как будто». Нити условных связей, тени иллюзорных движений... Называй как хочешь.

Согласись, если есть буквы, почему бы не составить из них слово. И не спеть его. В тот момент, когда ты поёшь слово, где-то зарождается жизнь. А может быть, даже новое существо, привлечённое в мир твоим пением, вдруг обнаруживает себя бредущим по тропке меж двух бирюзовых холмов. Просто иди за ним. Иди и пой. Иди до тех пор, пока не увидишь, что *смысл* покинул это простое движенье жизни. Существо окрепло, и ты можешь больше не поддерживать его своим голосом. Замолчи и отпусти его. Ты уже там, где нет направлений. И поэтому тебе вновь придётся учиться двигаться. Ибо ты, привыкшая к миру, в котором всегда есть направления, — сейчас младенец, не знающий, что для чего. А чтобы чему-нибудь научиться, ты должна сделать первый шаг. Не буквально, конечно. Как и любимое слово, первое движенье само потянет тебя за собой. Танцуй, моя девочка. Но не увлекайся на первых порах. А то шишки и сбитые локотки заставят тебя плакать. Кому понравится, если бирюзовые холмы, где ты распрощалась с существом своего слова, вдруг осыплются едким пеплом вторичного вещества? Будь осторожна!

И помни: когда движенье совершено — ты во сне видишь сон. Поверь, именно таково будет твоё первое ощущение. Власть иллюзий не проходит даром. Но помни одно. Что бы ты ни делала и что бы ни происходило,

это не сон

P.S. Знаю, знаю!

Знаю, что вопросов у вас осталось два чемодана. И Макс с отцом уже успели опрокинуть по вечерней рюмочке за геополитические процессы. Но... вы действительно всё ещё хотите знать, как живут люди в 2046 году? Вы *полагаете*, что это интересно? Или вы *рассчитываете* на то, что это интересно? Определились?.. Ну так вот, в 2046 году люди живут **ТАК ЖЕ**. Только не говорите, что вы ожидали услышать что-то другое!

P.P.S. И последнее.

Не расстраиваетесь, что забыли спросить меня: «How do you do?»

«Fine!» ...Шутка!

Я окончательно и безоговорочно счастлива! Так лучше?..

Ну, тогда

See you...

later »

— Всё?

Я повертела в руках обычный лист бумаги, исписанный ровным убористым почерком. И ещё раз заглянула в конверт:

— Всё.

— «Так же». Ну надо же!

— Какой вопрос — такой ответ. Что ты хотел?!

— Я не задавал этого вопроса.

— Но думал же. Может, вопросы, они тоже — живут сами по себе. Бродят вокруг нас и ворчат свои заученные ответы. Просто мы не слышим...

— Крвоч пиун...

— Что?

— Ну, просто... Крвоч пиун. Это такое... В общем, когда мне было четыре — или что-то около того, — я часто видел один и тот же сон. Как фрагмент в другом сне или просто. Странное существо, чем-то напоминающее дикобраза, только ходящее на двух лапах и с собачьей мордой, являлось мне и ворчало: «крвоч пиун, крвоч пиун...» Я его так и назвал. Это продолжалось где-то с год. А потом Крвоч Пиун исчез. Помню, я очень долго расстраивался... Потому что любил его. Ни за что. Просто любил смотреть на него и слушать, как он ворчит... А теперь я вот что думаю: может, *не сны* снятся не только принцессам?

— Это же классно!

— Что из вышеперечисленного?

230

— Я думала, у тебя будет проблема с *любимым словом*!

— Ты полагаешь — это оно?

— Прямоходящий дикобраз с собачьей мордой! Ты смеёшься?! Да лучшего проводника и не придумаешь!

— Ну а ты?

— Во мне-то уже БЫЛО то, что БУДЕТ, правда?! А? Чьи слова?! Так что за меня не беспокойся. А твой ворчащий друг детства мне уже заранее нравится и вполне подойдёт. Надеюсь, у меня будет шанс познакомиться с ним поближе. И мне, в отличие от тебя, уже давно — не со слов — известно, что во времени нет места парадоксам. Как и любое вещество, оно лишь претерпевает изменения...

— Ты — Принцесса. Ты — не можешь не знать. А я просто старый...

— Так, всё! Похоже, Ликин подарок исчерпал себя. Надо двигаться дальше. Представь себе, что мы снова *там* — хоть ты и недолюбливаешь это слово в последнее время. Вспомни, что ты чувствовал, когда возвращался тогда на самолёте в Москву, оставив меня с отцом? О чём думал?

— Ну, знаешь! Я, конечно, понимаю, что «кто ж не помнит старика Крупского», но...

— Ну, постарайся!

— Когда я вообще смог хоть о чём-нибудь думать, я думал... Обо всём я думал! Вот так! Обо всём без исключения.

— И ни разу не засомневался? Даже тень не промелькнула?

— Я бы не говорил о «сомнениях». Но, примеряя на себя «подарок», пытался представить — как это всё будет... двадцать лет спустя.

— Получилось?

— Да что-то не припомню.

— Ну и как?

— Что?

— Сейчас. Собственно двадцать лет спустя?

— Я абсолютно законченно счастлив.

Я поднимаюсь из кресла, подхожу к нему, ложусь сзади и, обняв одной рукой за плечи, утыкаюсь носом в густую шевелюру.

Надо же — никогда не обращала внимания — не так уж и много у него седины...

— Знаешь, что я тебе скажу... Это у них ТАМ «Двадцать лет спустя». А у нас ЗДЕСЬ всегда

Двадцать лет вперёд...

продолжение следует...

Снова от Автора

Ну, нельзя же вот так брать и заканчивать всё одним махом!

Автор сам терпеть не может, когда вот так вот — бац! — какая-нибудь хитромудрая сентенция в конце — и додумывай сам, что пожелаешь. Ужасно!

А где двадцать «несуществующих лет» главных героев? Считай — просто растворились (чуть не сказала «во времени») где-то за кадром повествования? А путешествие Лики с Максом в Голубую Долину? Неужели они, поддавшись моментальному импульсу, оставят всё: собак, дом, Игната, «старенького папу» — и исчезнут. Растворятся за гранью восприятия мира обычными людьми?.. И что это за Голубая Долина? Где она? Раз уж я сама настаиваю на том, что она не «когда»...

Вопросов больше, чем ответов.

Но не расстраивайтесь. Автор-то не расстраивается! И знаете почему? Да потому, что банальная фраза «продолжение следует...» не даёт ни вам, ни автору права просто «отойти в сторону и посмотреть». Придётся нам с вами подойти поближе и заглянуть. Иначе многие вещи в последней книге задуманной трилогии (Да-да. Именно трилогии) могут показаться чересчур странными. Так что сначала заглянем поближе в эти «Двадцать лет вперёд». А уже потом и в финальную часть этой истории под названием «Голубая Долина». И расскажет автор в них чистую правду. То есть буквально как оно всё БУДЕТ-БЫЛО!

Двадцать лет вперёд

(Книга вторая)

— Я спать не хочу-у-у...

— Кто же спорит, Принцесса, ты помнишь? Сегодня?..

— Ах да-а... ты об этом...

— Пустое, малышка...

— Всегда ты вот так...

— Т-с-с, иль мне кажется?..

— Что?

— Где-то струится невидимым светом вода... Ты хочешь, приснится тебе та страна?..

— Та самая?..

— Да. Ты помнишь, что там не бывает зимы — только лето?..

— Как здорово... Пусть бы ушли холода...

— Какие?! О чём ты? Их нет, закрывай же глаза. Смотри, вон любимый сачок твой в углу прислонился, и ролики... Платье наденешь сегодня и лёгкий жакет? А может, на речку махнём мы с тобою?

— А как же без мамы?..

— *Так мамы же нет...*

— *Пожалуй, на речку...*

— *Ну, вот и отлично, взбодримся, смахнём с себя зноем приклеенный полдень... Давай, не забудь полотенце и шляпку, большой огурец — похрустеть, — майку, и что там ещё... ну, переодеть... Ты же знаешь. ...Малыш, ты молчишь?*

Ты уже засыпаешь?

Постой. Да ведь ты уже спишь...

«Все довольны, все смеются»

На самом деле тогда, в симферопольском аэропорту — перед вылетом в Москву — да и во время самого полёта, — Макс думал только о том, почему самолёты — такие большие — летают, а крыльями не машут. Что в переводе с русского на человеческий означает, что он вообще ни о чём не думал. Вполне естественное состояние для взрослого опытного мужчины, чей мозг в густом бульоне событий и действий получил, наконец, первую передышку. Не сказать — долгожданную. Потому что взрослые опытные мужчины действуют до тех пор, пока мир сам не раскроет перед ними шатёр покоя, а не когда им вздумается, что они «устали», «заслужили», «да пошло оно всё» и тому подобное, что частенько приходит в голову, может, и взрослым, но, видимо, менее опытным мужчинам. Или просто редкому человеку среди прочих не понаслышке известно, что любое дело принимается миром к зачёту, только если оно доведено до конца. До результата.

Вы спросите, что считать результатом?.. Я бы на вашем месте лучше бы поинтересовалась, что считать делом. Впрочем... Я отвечу. Каждый взрослый опытный мужчина знает ответ на этот вопрос. Результат — это когда в данной конкретной точке пространства-времени не нужно *заботиться*. Это миг покоя между действиями. Настоящего покоя. Возлежащего на уверенности, что *здесь* и *сейчас* сделано всё для «там», «потом» и даже для «когда-нибудь» и «может быть»...

В таком состоянии между действиями взрослый опытный мужчина ни о чём не думает. Или созерцает какую-нибудь ерунду — не машущий почему-то крыльями пузатый самолёт, например, или мазок крымской глины на сандалии, или Собственный План. Да-да! Даже в состоянии полного и абсолютного покоя, подаренного миром взрослому опытному мужчине, у последнего всегда есть с собой Собственный План. Если бы это было не так — любой взрослый опытный мужчина рисковал бы, поддавшись эйфории покоя, превратиться в менее опытного. А то и вовсе в ни на что не способного мямлю. Такова жизнь. Нет покоя во вселенной.

«И это хорошо. Очень хорошо». Так думал Макс, предвосхищая груду дел по работе и поглядывая на пакет, что поставил в ногах, где лежали половинки таинственных шаров и письма Лики... «Хм... Надо бы в лабораторию отнести. Пусть хоть скажут, как и из чего сделано. Так, для общего развития...»

А Лика, вернувшись тем же путём — по кипарисовой аллее, — зашла за отцом, и они отправились в пансионатский парк на набережной, где в ярко освещённых чревах больших беседок прятались теннисные столы. По вечерам там всегда собирались завсегдатаи и спокойно и ритмично, по-спортивному, без лишних споров и криков, разменивали партию за партией «на побитка́». А вокруг — на скамейках вдоль дорожек — роились стайками шахматные болельщики. Шумные, галдящие и больше напоминающие ожидающих открытия пивного ларька бездельников, нежели приверженцев одной из самых древних игр на планете.

Лика с отцом пошли туда, где традиционно играли парами. И, дождавшись своей очереди, смогли продержаться у стола три партии подряд. Потом прогулялись по набережной. И чуть дальше — мимо пирса по опустевшему пляжу. И вернулись домой.

Ничего не изменилось, кроме разве что появления странного оттенка во взгляде отца. Того самого, что рано или поздно появляется во взглядах всех на свете отцов, вдруг обнаруживших, что их любимая дочь, «принцесса-котёночек-малышка-девочка», являет собой что-то неподвластное их отцовской мудрости, заботе, настойчивости и намерениям. И это «что-то» касается не только традиционного мировоззрения — из серии «кем ты хочешь быть?» и привычных манер поведения, но и тела. Впервые за розовым туманом собственной эгоистичности обнаруживая в своих дочерях женщин, отцы смущаются. Но, смущаясь, они выглядят не сиротливыми козочками на заклании, а как раз наоборот — чрезмерно активными. Ищущими новых дел и приключений под каждым камнем. Видимо, образуется какая-то пустота, требующая немедленного заполнения, в этих взрослых опытных мужчинах, когда их дочери перестают быть просто их дочерьми, но становятся чьими-то жёнами. Женщинами совсем других взрослых и опытных мужчин. И тогда маленькие вселенные отцов дочерей рушатся и возрождаются вновь. Ещё более конструктивными. Хотя с виду, может, и менее заботливыми.

Но ни о чём таком Лика не думала, укладываясь в постель под трескотню и благоуханье южной ночи. Она не думала о самолётах, что летают, а крыльями не машут. Она не думала даже о Максе. Странно? Вовсе нет. Вот вы, например, часто размышляете о безымянном пальце на левой ноге? Или о селезёнке (если она, конечно, вас не беспокоит)? Или о левом предсердии?.. Зачем уделять чрезмерное внимание тому, что является естественной неотъемлемой частью тебя? Даже если раньше так не было... Мысли обычно возникают от «томления духа». А от его первозданной радости — затихают. А что может быть большей радостью для духа, когда клеточки твоего юного тела, ещё пару обменных циклов назад готовые ощериться в мир всеми фибрами иммунитета, вдруг узнают в себе бога? Покой и радость — вот состояние, заслуживающее называться счастьем.

И тёплое, присутствующее где-то рядом за окном море баюкает тебя своим дыханием. И лёгкий можжевеловый запах простыней. И шатёр земной плоти, обволакивающий сознание шёлковым шелестом еле заметной, но непререкаемой уверенности в единственно возможном ходе вещей...

А вот Максу нашлось о чём подумать, едва он переступил порог своей квартиры в Колокольниковом переулке:

— Ната?..

Натали́ была не из тех, кто рвёт себе душу вздохами и посыпает голову пеплом коммунальных счетов. Она была из тех, кто вовремя набивает подшипники смазкой и прокладывает курс. А духи́ и туманы подождут. До ближайших семейных выходных, например.

Их роман с Максом длился уже полтора года. Необременительный — для него. И терпеливо-расчётливый — для неё. Про такие дела иначе не скажешь, как: «её — можно понять, его — можно простить».

Понять можно.

Уже чуть за тридцать. Комната в коммуналке на окраине. С должностными перспективами не ахти...

Поэтому его можно было простить за квартиру в центре Москвы. Машину. За неизбывный дух свободы и тягу к странствиям. За пусть не резиновый, но всё ещё подверженный деформации в нужную сторону бюджет геологоразведки. За трепет случайных женских душ на его кухне — и их же тел в его постели. За профсоюзные махинации. За криминальные ювелирные дела, в конце концов. И за «крепкие партийные связи» через них...

Простить. И принять. Как должное. Как закономерный результат действия закона о балансе во вселенной. Или что-то в этом роде... Натали не была глупа. И, невзирая на это, обладала броской внешностью. Пусть стать немного не дотягивала до породистости. Очарование — до истинной красоты. А пропорции — до «золотого сечения» (в понимании мужчин, разумеется). Но всё в совокупности давало то, что принято называть «ярким» и «неординарным».

А Макс? Что? Всё правда. Приспособленец со стажем. И с хваткой. А кто им не был в семидесятые-восьмидесятые двадцатого?.. А вот кто не был — тот лопух и есть! С башкой, как решето, просверленной вдоль и поперёк тупым сверлом соцреализма. Так что кто хотел — тот мог! А кто не мог — так, видимо, в небесной канцелярии страну рождения перепутали. А в этом трудно кого-то обвинять. Они там, наверху, к таким мелочам не прислушиваются. Ну, перепутали и перепутали. Живи, устраивайся. Заповеди чти, но и сам не плошай.

Макс и не плошал. Квартира от бабки осталась — считай, повезло. Это, правда, не помешало ему поднапрячься, точнее, поднапрячь кое-кого и влезть в кооператив где-то не то в Ясеневе, не то в Крылатском... Короче, в деревеньках каких-то захолустных. А что? Пусть будет. Народ в столицу завсегда рвётся. Жилплощадь — товар ходовой, разменный.

Машина? А как без неё. По метро с баулами, что ли, бегать? Так и до сто первого добегаешься. Хотя... Смотря что в бауле лежит. А то, может, и сразу — в «солнечный Магадан».

Это потом все кричат: «хорошо устроился», «упакованный». А сначала-то все «упакованы» одинаково. Руки да голова. И прежде чем половину столичных подпольных ювелиров и коллекционеров золотишком, серебром да каменьями левыми обеспечивать, надо в голове — науку на смекалку уложить, а руками — талант в мастерство огранить. В институте учиться, в «полях» недра родины необъятной щупать-изучать, а по ночам от справочников, станков сверлильных-шлифовальных да от тиглей не отходить...

Это потом — связи, машины, кооперативы, званые ужины в «Национале» и халдейское: «Чего изволите, Владимир Максимович?» А что он изволил? Да ничего особенного. Что и все мужчины — вольного воздуха, женской ласки и чтобы «всё своим чередом». Признаться, не хотела бы я знакомиться ближе с мужчиной, у которого не так. Боязно как-то...

Кстати, что-то я как автор лопухнулась — видимо, по старой советской привычке! Не представилась. Да и вообще, чего это я в этой истории вроде как третьим лишним? Разъясню:

Первая книга — та, что «Отойти в сторону и посмотреть» — составлена из писем Лики и обрывочных записей из её же дневников. Автор — к тому времени уже самый настоящий, а не то чтобы мимо подъезда проходил — взял да и воспользовался своим Авторским Правом — не путать с «авторским правом». Написал предисловие, послесловие. Скомпоновал. Подредактировал слегка на своё усмотрение. И издал. Лике — всё равно. Она уже не *здесь*. А Автору — чего зря гонорары терять? А поскольку планета у нас маленькая, —

не смотри, что страна большая, — вышло так, что жизнь этих людей — Лики и Макса — была знакома Автору не понаслышке. Знакомы они были, попросту говоря. Вот и решил Автор написать предысторию. Вдруг кому будет интересно — «как это у них всё развивалось»? Обычные ж люди, как ни крути. Так что потерпите, пожалуйста, моё незримое присутствие на страницах жизни Макса и Лики. Вам воздастся. Ибо как раз накануне сдачи рукописи первой книги Издателю я обнаружила на своём письменном столе металлический шар. Размером чуть крупнее апельсина и по весу такой же. Может, чуть легче... По заведённой уже традиции я должна была заглянуть в небольшое отверстие, чтобы скрытый датчик отсканировал сетчатку моего глаза и открыл... Кто его знает, что бы он открыл! Так что я пока жду. Как сказал бы небезызвестный вам капитан Джек Воробей: «Нужен подходящий момент»...

Однако вернёмся к тому, от чего нам с вами никуда не уйти, раз уж начали, — от последовательного повествования. То есть в квартиру дома в Колокольниковом переулке.

— Привет! — Натали поднимается с дивана навстречу Максу. — Ребята сказали, что ты вроде задержался, — решила заглянуть.

— Привет! — Он целует её в подставленную щёку. — Что ещё «ребята сказали»?

— Сказали, что ты теперь землетрясения предсказываешь, — она обнимает его за талию и кладёт голову на грудь.

— Чушь они тебе сказали, инвалиды умственного труда... — Он освобождается из объятий быстрее, чем следовало. Или — чем она привыкла.

— Что-то случилось?

— Случилось?.. Да-а... Случай — дело такое... — Макс кажется рассеянным.

Хотя на самом деле он просто не ожидал, что так сразу попадёт из огня да в полымя. Думал, пока туда-сюда, полевой сезон... Можно всё подготовить, упредить. А оно вона как. Бац! И — «что случилось?». Отвечать надо. Соврать? Отсрочить?.. Раньше бы — не задумываясь. Женщины... С ними надо ласково или палкой. Как со зверем в клетке. По-другому не бывает... Да нет! Бывает! Есть. Но так может быть только с одной. И это правильно. Не знаю почему, но правильно! Таково положение вещей. *Естественное* их положение... А Натали?.. Сам дурак! Но кто же знал?.. Эх, знал бы прикуп — жил бы в Сочи. Сам уже с полгода как ключи от квартиры ей дал. И надо отдать должное — не злоупотребляла. Так, от случая к случаю. А сегодня что?.. На «случай» не похоже...

По поводу?.. Ласточка на хвосте принесла? Да нет. Михаил Афанасьевич? Вряд ли. В нём интеллигентный корень, что тот золотой ус. И сам не хворает, и других лечит. Соль земли... Почувствовала?.. Может быть, может быть... Женщины — такие твари... В смысле, звери. Чутьё у них — как горошина на ладошке... или под перинами, м-да...

— Макс, я забеспокоилась. Ребята сказали, что ты ещё не с партией. Все улетели. Ты пропал...

— Летал по делам.

— Далеко?

— В Крым.

— В Крым?

— Да. Надо было сопроводить кое-кого...

— Макс, не темни. Ты редко совершаешь необдуманные действия.

— Я не темню.

— Значит, недоговариваешь. А это — то же самое.

— Да, ты права. Недоговариваю.

— Этот «кое-кто» настолько важен для тебя?..

Интересно, у женщин — это просто стандартный алгоритм, который почему-то всегда попадает в цель, или они действительно чувствуют?.. Вопрос риторический. Результат-то всё равно один и тот же.

— Важен, Нат.

— Насколько?

— Настолько, что я готов «до основанья, а затем...».

— Молодая?

— Это-то здесь при чём?!

— Да так. Я — женщина. И тоже молодая, смею заметить.

— Ты...

— Даже не думай! Только посмей сказать мне, что я — королева, всё в моей власти и вся жизнь впереди! Стукну по голове!

— Я и не собирался.

«Соврал!»

— Собирался, собирался... Так молодая?

— Я бы не хотел обсуждать эту тему.

— Со мной или вообще?

— Вообще. Не заводись.

— Я не завожусь...

Она отстраняется от него и подходит к окну.

— Всё правильно...

— Что?

Кажется, она не замечает его присутствия.

— Вокруг тучи молоденьких вертихвосток, и я — вся такая, блядь, правильная. Не напрячь лишний раз, личное пространство не потревожить! А как же! Мужчина — Король. А ты — тень от его мантии самолюбования.

— Зря ты так. Здесь совсем другое...

— Зря?! А как не зря?! Что «совсем другое»?! Моложе меня на десятку и поперёк у неё? Это, что ли, другое?!

— Ты всё ещё не заводишься, да?

Но она как будто не слышит его.

— Принцессу, наконец, нашёл?! — резко бросает Натали в сторону приоткрытой в кабинет двери. — Ты же говорил, что их нет на этой планете?

— Тогда, когда я это говорил, планета представлялась мне значительно меньшей...

Максом вдруг овладевает покой. И даже какая-то тихая радость. От того, что всё так прогнозируемо, банально. И в то же время от ощущения того, что нет в этом ничего плохого или неправильного. Просто бывает так, а бывает по-другому. А что бывает сверх того, так и вообще... Мир ужасен и прекрасен, и это его свойство. Претерпевать изменения. И вещество наших мыслей, слов, чувств, нашего времени следуют за этими переменами... Или совершают их?.. Не суть. Так или иначе, что-то происходит.

Однако мужчины так наивны, что частенько путают истинные душевные порывы с практически невыполнимым стремлением позаботиться обо всём и всех на свете:

— Я помогу тебе...

Ну точно! Вот верное тому подтверждение.

— Поможешь?! Прислугой при доме оставишь, что ли? Или старшей женой? — На слове «жена» у неё подкатывает к горлу комок, и она громко всхлипывает.

— Я имел в виду с работой и...

— Ты мне ещё отступного предложи! Или по наследству кому передай — как это у вашего брата принято — ещё меньше хлопот!

— Зачем ты так? Я действительно в ответе за тебя...

— Засунь себе в жопу, Макс, свой гуманизм! — перебивает Натали. — Это напоминает алименты детям несостоявшегося чахоточного счастья... — Она начинает плакать.

Для мужчины — это как будто в шатре покоя ломается подпорная слегá. Ещё чуть-чуть — и размокшее солоноватое мужское эго потечёт в нужном направлении. Кому нужном? Миру? Натали?..

— Прости. Это правда было глупо, — слегá устояла. — Случилось то, о чём трудно говорить. И особенно трудно говорить об этом с тобой. Но с этого момента воды наших жизней растекаются. И они уже наверняка не смешаются вновь. Назвать это ошибкой? Никогда! Тогда придётся предположить, что весь мир сплетён из одних ошибок. Но это неправда. Время жизни систем, построенных на ошибочных алгоритмах, критически мало. Ход вещей просто происходит. Я учусь радоваться этому. И учусь не сожалеть. Ничто не невосполнимо и не необратимо. У каждого хода есть свой смысл... Но прежде чем ты уйдёшь, я, как старый добрый дядюшка-волшебник, хотел бы оставить что-то тебе. Не вспыхивай. Не на память. И не как дань неуместным приличиям. А как подарок. А может, как талисман, — с этими словами Макс заходит в кабинет.

Быстро возвратившись, он протягивает Натали крупный красивый камень:

— Вот, возьми. Это лазурит. Хороший камень. Тебе он подойдёт.

— Ты изменился, — её голос внешне обретает покой. Но чувствуется, что взвинченность женского любопытства, нервозность подозрительности и надрывность неверия сменяются чем-то другим. Тяжёлым и ясным, как сталь. Необратимым.

— Я попал в такое место вселенной, где не оставляют выбора — или изменяешься, или погибаешь. Есть дороги, по которым можно пройти только в одну сторону. Но это не дороги времени или смерти. Это дороги жизни. Просто таково их свойство...

Натали ничего не отвечает. Она молча берёт в руки камень, смотрит на него некоторое время, потом достаёт из кармана ключи и кладёт их на столик. Затем — так же молча — выходит в прихожую. Слышно, как открывается входная дверь:

— Ты не старый добрый волшебник, Макс. Ты обычный мудак!

Продолжение читайте в книге
«Двадцать лет вперёд»

Содержание

Двадцать лет вперёд

Литературно-художественное издание

ПРОЗА ТАТЬЯНЫ СОЛОМАТИНОЙ

Соломатина Татьяна Юрьевна

ОТОЙТИ В СТОРОНУ И ПОСМОТРЕТЬ

Роман

Издан в авторской редакции

Редакционно-издательская группа «Жанровая литература»
Зав. группой М. Сергеева
Руководитель направления Л. Захарова
Ответственный редактор М. Герцева

ООО «Издательство АСТ»
129085, г. Москва, Звездный бульвар, д. 21, строение 3, комната 5
Наш электронный адрес: www.ast.ru
E-mail: astpub@aha.ru

«Баспа Аста» деген ООО
129085, г. Мәскеу, жұлдызды гүлзар, д. 21, 3 құрылым, 5 бөлме
Біздің электрондық мекенжайымыз: www.ast.ru
E-mail: astpub@aha.ru

Қазақстан Республикасында дистрибьютор
және өнім бойынша арыз-талаптарды қабылдаушының
өкілі «РДЦ-Алматы» ЖШС, Алматы қ., Домбровский көш., 3«а», литер Б, офис 1.
Тел.: 8(727) 2 51 59 89,90,91,92
Факс: 8 (727) 251 58 12, вн. 107; E-mail: RDC-Almaty@eksmo.kz
Өнімнің жарамдылық мерзімі шектелмеген.

Өндірген мемлекет: Ресей
Сертификация қарастырылмаған

Подписано в печать 08.12.2015. Формат 84х108$^{1}/_{32}$.
Печать офсетная. Усл. печ. л. 13,44.
Тираж 1500 экз. Заказ 1920

Отпечатано с готового оригинал-макета
в ОАО «ИПП «Правда Севера».
163002, г. Архангельск, пр. Новгородский, 32.
Тел./факс (8182) 64-14-54, тел.: (8182) 65-37-65, 65-38-78
www.ippps.ru, e-mail: zakaz@ippps.ru

ISBN 978-5-17-086392-1

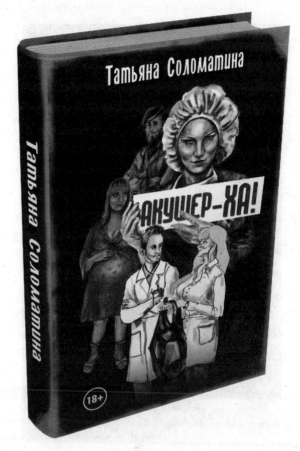

Книга-бурлеск. Книга-фарс. Книга-трагикомедия. Возвышенные герои переодеты в шутовское одеяние, серьезное содержание выражено несоответствующими образами и стилистическими средствами. Очередная Эпоха Возрождения прозы о врачах началась именно с этой книги. Перед вами переизданный иллюстрированный дебют известного писателя и сценариста Татьяны Соломатиной.

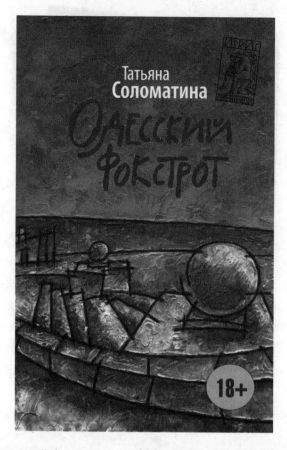

Татьяна Соломатина

Одесский фокстрот

18+

«Одесский фокстрот» — это не роман. И не «роман в эссе», как определила жанр «Моего одесского языка» моя подруга и по совместительству — литредактор Ольга Воронина. Это не крик души и не шёпот сердца. Не печаль разума и не поиск чего бы то ни было: себя, истины, правды... Это симпатическая реакция. Мне всё время кажется, что на мне стоит клеймо. И оно постоянно чешется. Проявись оно когда-нибудь как обычная татуировка, там было бы одно слово — «Одесса».

Автор